Insomnio

Insomnio

Cómo vencer las noches en blanco

Lda. Victoria de la Fuente
Dr. Carlos Martínez

Autores: Victoria de la Fuente y Carlos Martínez
Director de la colección: Emili Atmetlla

ISBN: 978-84-9735-307-6
Depósito legal: B-22.644-2009
Diseño cubierta: XicArt
Ilustraciones: Pedro José Sánchez de la Fuente (Tizne)
Impresión: Liberdúplex
Impreso en España - *Printed in Spain*

Índice

1. ¿Qué es el sueño?

Generalmente damos por supuesto que dormir es algo normal. De hecho, a lo largo de nuestra vida pasamos más tiempo realizando esta acción que dedicándolo al trabajo, a la familia, a los amigos o al ocio.

Cuando dormimos no somos conscientes del mundo que nos rodea. Sin embargo, en este período de tiempo ocurre una gran cantidad de fenómenos que son esenciales para nuestra salud, tanto física como psicológica.

El sueño no sólo nos proporciona un mero «descanso» en nuestra vida diaria, sino que constituye un estado activo esencial para la restauración física y mental. Pero no todo el mundo valora la importancia de dormir. Hoy en día aún podemos encontrar personas que creen que dormir es una pérdida de tiempo. Si las invitáramos a dormir poco durante un período de tiempo, pronto comprobarían una realidad: «el sueño es una necesidad vital».

Un sueño normal, tanto en cantidad como en calidad, nos ayudará por lo tanto a restablecer esa energía física y mental que nos es tan necesaria. Por ello, el sueño será el único factor que nos va a permitir que la mente y el cuerpo se restauren «cargando las pilas» durante la noche. Se trata de una actividad absolutamente necesaria para hacer frente a los nuevos retos que vamos a tener que afrontar al día siguiente.

Estructura del sueño a lo largo de una noche

A partir del invento del electroencefalograma (EEG), en 1929, empiezan a darse los primeros pasos en la investigación científica del sueño. Este hallazgo permitió la observación de las diferencias en el funcionamiento cerebral cuando estamos despiertos y durante el sueño.

Mientras dormimos, el sueño se organiza en ciclos a lo largo de la noche. Cada ciclo suele durar en el adulto aproximadamente noventa minutos. Así pues, en una noche de sueño se repetirán entre cuatro y seis ciclos, dependiendo de las horas totales que dormimos. Estos ciclos se descomponen en diversos estadios o fases, que van desde el sueño más superficial al más profundo.

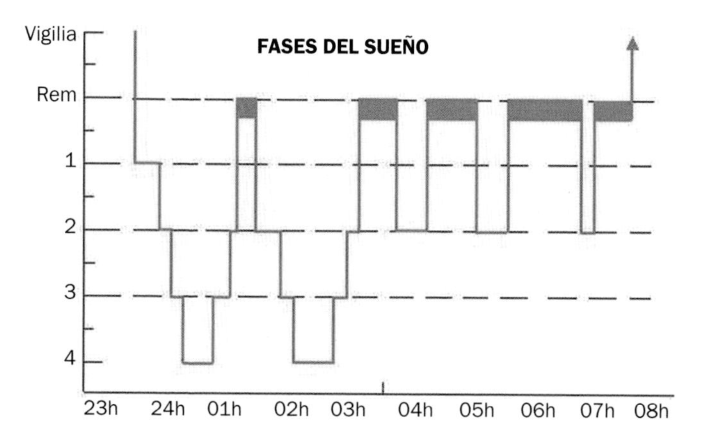

Figura 1.1. *Representación gráfica de la arquitectura del sueño de una noche. Podemos ver cada una de las distintas fases del sueño en una noche. A las fases del sueño más superficiales (1 y 2), les siguen a continuación las fases 3 y 4 de sueño profundo. Posteriormente aparece el sueño REM, con movimientos oculares rápidos.*

¿Cómo se comporta nuestro cerebro mientras dormimos?

Nuestro cerebro presenta variaciones en su actividad eléctrica en diferentes momentos del día y de la noche. Entre la vigilia y el sueño se da un estado de transición, que característicamente producirá somnolencia.

A partir de este estado entraremos rápidamente en el primer estadio o fase del sueño ligero o **fase 1**, que es una corta transición entre el estado de alerta y la fase 2 de sueño. Si tenemos buena calidad de sueño, esta fase durará un breve período de tiempo, después del cual entraremos rápidamente en la siguiente fase.

En la **fase 2** perdemos la conciencia de nuestro mundo exterior. Se presenta a lo largo del 50% de la duración de la noche. La intensidad del estímulo necesario para despertar a un sujeto en esta fase es mayor que la que necesitaríamos en la etapa anterior.

Si seguimos avanzando por este camino que hemos iniciado, entraremos en los niveles más profundos del sueño, que son las **fases 3 y 4**. En ellas, nuestro cerebro estará en reposo, al tiempo que la relajación de los músculos se intensifica. En este intervalo resulta aún más difícil despertar al sujeto. Se trata de la etapa fundamental para que éste descanse subjetiva y objetivamente, y constituye el período clave de la recuperación física.

Existe una **quinta fase**, bautizada como **REM** (del inglés *rapid-eyes movements*, movimientos rápidos de los ojos) también conocida como «sueño paradójico». A esta etapa se la considera independiente de las cuatro anteriores, puesto que aquí el cerebro presenta gran actividad. Los episodios de sueño REM o paradójico aumentan en intensidad y duración a medida que progresa la noche. En esta etapa se produce la mayor parte de la actividad onírica, es decir, los sueños. Esta fase predomina en la segunda mitad de la noche, mientras que el sueño profundo (fases 3 y 4) lo hace en la primera.

Fase 1: Sueño superficial. Transición de vigilia a sueño. Representa el 5% del período de sueño de una noche.
Fase 2: Estadio de sueño un poco más profundo. Representa entre el 45-50% del tiempo de sueño.
Fases 3 y 4: Estadio del sueño más profundo. El cerebro está en reposo y sus ondas se hacen más lentas. Representa del 10 al 20% del tiempo de sueño.
Sueño REM: Actividad mental considerable. Durante esta fase se produce la mayor parte de los sueños. Representa entre el 15 y el 20% del tiempo dormido.

¿Por qué es tan importante dormir?

El sueño es una función fisiológica vital y rítmica, puesto que su aparición es diaria. Sigue un proceso evolutivo que se va adaptando a las necesidades del ser humano.

Es el responsable de garantizar las necesidades biológicas internas, endocrinas y metabólicas. En general, presenta cualidades restauradoras, por lo que podemos decir que dormimos para obligar al cuerpo y a la mente a detenerse y realizar las tareas necesarias para nuestro mantenimiento interno.

Para ayudar a nuestro organismo a distinguir entre el día y la noche, disponemos de los relojes biológicos, que funcionan normalmente con un ciclo de veinticuatro horas, conocido como **ritmo circadiano,** palabra de origen latino que significa «aproximadamente un día». Entre otras, el ritmo circadiano controlará funciones vitales como dormir y despertar, actividad y descanso, la temperatura corporal y la secreción de las glándulas.

Características de un sueño normal en un adulto

- Tiempo en quedarse dormido: entre 5 y 30 minutos.
- Existencia de 4 a 6 ciclos de sueño por noche.
- Duración de cada ciclo: entre 90 y 120 minutos.
- La restauración física tiene lugar en la primera mitad de la noche.
- La restauración psicológica, fijación de la memoria y mejora del aprendizaje tienen lugar en la segunda mitad de la noche.
- No presenta dificultad de conciliación del sueño después de los despertares nocturnos.

La mayoría de las personas desarrollan sus actividades coincidiendo con la fase de luz del día solar, y descansan durante la noche. De esta manera se mantiene un ritmo de sueño/vigilia indispensable para preparar un buen sueño posterior.

El sueño en las diferentes edades

La cantidad, calidad y duración del sueño varían con la edad. Además, influyen también otros factores, como la salud y el estilo de vida de cada uno.

Existen grandes diferencias entre unas personas y otras. Con la edad, los patrones de sueño tienden a cambiar. La mayoría de las personas perciben que el proceso de envejecimiento las lleva a tener dificultades para dormirse, y a despertarse con mayor frecuencia que en otras épocas de su vida. Un recién nacido, por ejemplo, no duerme igual que un niño, ni éste lo hace igual que un adulto, ni un adulto dormirá igual que una persona de edad avanzada.

El adulto tiene un ritmo biológico que se repite aproximadamente cada veinticuatro horas y que le sirve para regular su organismo. En el caso de la mayoría de los recién nacidos, este ciclo se repite cada tres o cuatro horas, período de tiempo durante el cual el niño se despierta, come, se le limpia y vuelve a dormir, aunque hay pequeños que no siguen este patrón. Los recién nacidos suelen dormir un total de dieciocho horas al día. A partir de los seis meses hay una disminución del tiempo de sueño, que se reduce a catorce o quince horas, repartidas en doce horas nocturnas y dos siestas diurnas. En este estadio, su ritmo biológico ya se ha modificado hacia un patrón de veinticuatro horas.

De uno a tres años, el niño dedica al sueño entre doce y trece horas, a las que hay que sumar una siesta después de comer. Entre los tres y los cinco años desaparece la siesta, coincidiendo con la escolaridad. En esta época el niño duerme entre diez y doce horas por noche.

En el caso de los adolescentes, éstos deberían dormir entre nueve y diez horas, pero no todos lo hacen. Durante este período de sueño se producen los procesos relacionados con el desarrollo del adolescente, tales como la regularización neuronal y la secreción de la hormona del crecimiento.

A partir de la edad adulta el sueño tiende a concentrarse en un episodio nocturno de siete u ocho horas. A partir de entonces la calidad del sueño normalmente empeora. Ya en la vejez, el sueño nocturno está más fragmentado, y disminuye además, la proporción de sueño profundo (fases 3 y 4).

En conclusión, a cualquier edad debemos cuidar e intentar mejorar la calidad del sueño, para poder disfrutar al máximo nuestro día a día.

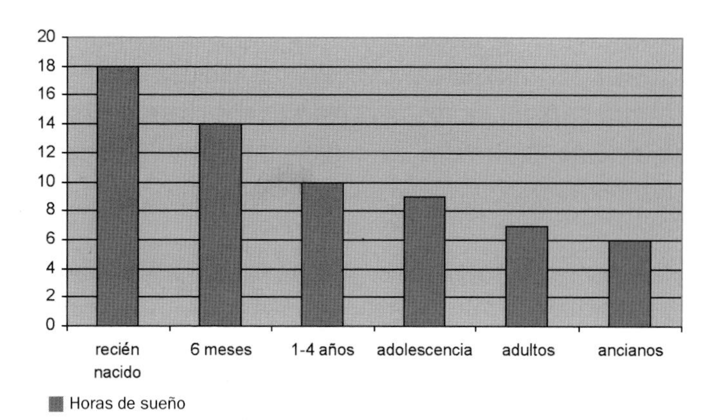

Figura 1.2. *Representación gráfica del número de horas de sueño desde el nacimiento hasta la vejez. Como puede observarse, con la edad disminuye el número de horas necesarias de sueño.*

El reloj biológico

Muchas de las funciones vitales de nuestro organismo son dirigidas por sistemas fisiológicos complejos que siguen un ritmo preciso y constante, como si de la maquinaria de un reloj se tratase.

Cuando hablamos de los ritmos biológicos, nos referimos a los cambios periódicos de los procesos fisiológicos que se dan en un intervalo de tiempo determinado: pueden aparecer muchas veces al día, como ocurre con los ritmos de la respiración; una vez al día, como, por ejemplo, el ciclo sueño-vigilia y menos de una vez al día, tal como sucede con el ciclo menstrual de la mujer.

Todos nosotros disponemos de este reloj que tiene que ver con nuestra vida cotidiana. Nuestro cerebro enviará señales que nos avisarán, entre otras cosas, de cuándo es la hora de comer, de dormir o de despertarnos.

La zona del cerebro que regula estos procesos es el hipotálamo (núcleo supraquiasmático), que actúa como un termostato regulador de la mayor parte de las actividades corporales.

Pero, ¿quién regula este reloj? La luz, por ejemplo, será uno de sus principales reguladores que enviará docenas de órdenes al cuerpo. Durante el día, por ejemplo, segrega cortisol para poder activarnos, mientras que, por el contrario, durante la noche segrega melatonina, una sustancia que va a ayudarnos a dormir. La temperatura corporal también es responsable a la hora de dormir, ya que a esta hora es más baja, mientras que sube durante el día.

Por lo tanto, nuestro cerebro está diseñado para que las personas se mantengan despiertas durante el día y duerman durante la noche.

Cuando, por circunstancias sociales o comportamentales, no seguimos el patrón biológico que nuestro organismo tiene previsto, es posible que se produzcan dificultades para conciliar el sueño o para dormir sin interrupciones.

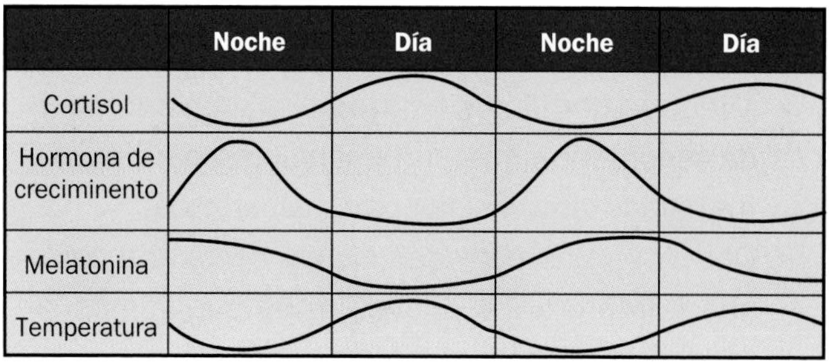

	Noche	Día	Noche	Día
Cortisol				
Hormona de creciminento				
Melatonina				
Temperatura				

Figura 1.3. *Representación gráfica de los distintos ritmos existentes en nuestro organismo que se repiten con una periodicidad de veinticuatro horas. La temperatura del cuerpo y los niveles de cortisol descienden al atardecer, se mantienen bajos durante la noche y aumentan al amanecer. La melatonina, por el contrario, asciende al atardecer, llega a su máxima concentración en sangre por la noche y desciende al amanecer.*

Puntos clave:

- Mientras dormimos ocurren una gran cantidad de fenómenos que son esenciales para nuestra salud, tanto física como psicológica.
- Dormir es una actividad cíclica necesaria para hacer frente a los nuevos retos que vamos a tener que afrontar al día siguiente.
- Durante la primera mitad de la noche se produce la restauración física.
- Durante la segunda mitad de la noche tiene lugar la restauración psicológica, la fijación de la memoria y la mejora del aprendizaje.
- La cantidad, calidad y duración del sueño varían con la edad. También influyen otros factores, como la salud y el estilo de vida de cada uno.

2. El insomnio, ¿síntoma o enfermedad?

Según las estadísticas, la mayoría de las personas han padecido en alguna ocasión de su vida una noche en blanco, es decir, una noche de insomnio, casi siempre unida a problemas personales o épocas de estrés. Se trata de un síntoma frecuente que afecta a un 25% de la población de los países industrializados, y cuya repercusión social, económica y sanitaria es importante. La cantidad de sueño varía de una persona a otra. La mayoría de los adultos necesitan entre siete y ocho horas de sueño cada noche, pero podemos encontrarnos con personas que duermen de cinco a seis horas, y otras que necesitan entre nueve y diez horas. En ambos casos, el sueño puede proporcionar la misma sensación reparadora.

La primera medida que se debe tener en cuenta es buscar la causa directa que ocasiona esas malas noches, para, de este modo, poder tratar el síntoma, es decir, esas noches en blanco.

¿Cómo se manifiesta el insomnio?

El insomnio se manifiesta de varias maneras. Los tres tipos principales son:

- **Insomnio de inicio**: incapacidad de quedarse dormido antes de treinta minutos, una vez acostados.
- **Insomnio de mantenimiento**: incapacidad de permanecer dormido, hecho reflejado en la existencia de numerosos despertares nocturnos.
- **Insomnio por despertar precoz**: se refiere al despertar a las cuatro o cinco horas de iniciado el sueño, seguido de la incapacidad para volver a conciliarlo.

Estos tres tipos de insomnio descritos no son independientes, pues una persona puede sufrir simultáneamente dos o tres de los mencionados y no encontrarse satisfecha con la cantidad y calidad de su sueño.

Si nos referimos a la **duración**, podemos distinguir tres tipos de insomnio:

- **Insomnio ocasional o transitorio**: aquel que dura una o varias noches.
- **Insomnio de corta duración**: se produce cuando su aparición se prolonga entre una y tres semanas.
- **Insomnio crónico o de larga duración**: aquel de más de tres semanas de duración.

Autoevaluación del insomnio

1. Me cuesta quedarme dormido.
2. Los pensamientos me ocupan la mente y me impiden conciliar el sueño.
3. Me despierto muchas veces durante la noche.
4. Cuando llega la noche me cuesta relajarme y siento miedo de ir a la cama.
5. Me despierto muy temprano y no consigo volver a dormirme.
6. Por las mañanas me levanto más cansado que cuando me acosté
7. Durante el día me cuesta concentrarme y estoy irritable.
8. Me siento triste y decaído a lo largo del día.
9. Cuando estoy en la cama al inicio del sueño tengo

tales molestias en las piernas que necesito moverlas, lo que me impide conciliar el sueño.

Si ha señalado tres o más de los puntos anteriores es que tiene síntomas de insomnio.

Entrando en el círculo vicioso del insomnio

El insomnio puede ser secundario a los problemas que afrontamos cada día o bien ser consecuencia de problemas subyacentes más graves.

Uno de los elementos que contribuyen a la persistencia del insomnio a través del tiempo es la ansiedad. En ocasiones ésta puede responder a miedos que sólo están en nuestra imaginación y puede llegar a bloquearnos cuando queremos conciliar el sueño.

La ansiedad también se puede manifestar como consecuencia de dificultades a la hora de adaptarnos a los cambios que se van produciendo en nuestra vida. Ella suele ser la responsable de la falta de concentración, de la irritabilidad, de los problemas para conciliar el sueño, así como de la sensación de no haber descansado por la mañana. Si estas sensaciones se van repitiendo un día y otro y otro, entramos en ese círculo vicioso del insomnio.

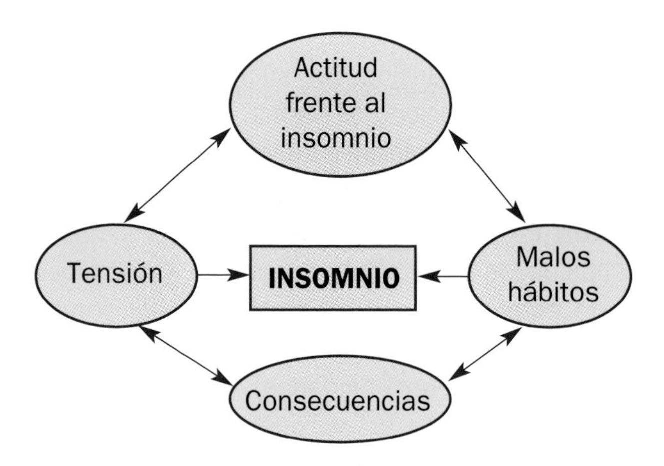

Figura 2.1. *Círculo vicioso del insomnio (Modelo de interacción del insomnio propuesto por Charles Morin, Ph. D. 2003).*

Actitud frente al insomnio

Las personas que duermen mal tienen tendencia a hablar de sus problemas de sueño y a no pensar en otra cosa. Saben que cuando caiga el día empezará de nuevo esa pesadilla de querer dormir y no poder conseguirlo. Incluso se apoderará de ellas ese miedo anticipador cuando llegue la hora de ir a la cama. En ocasiones esta sensación suele ser peor que la realidad. Cuanta más atención prestemos a esta sensación, más ahuyentaremos el sueño. Esta inquietud y preocupación estimularán más la vigilia y, por tanto, nos alejarán del sueño.

Si cada vez que nos acostamos nos preguntamos si podremos dormir, estamos introduciendo una duda continua en nuestra mente, lo que a la larga va a favorecer la desaparición del sueño, el desmoronamiento de la capacidad de dormir, así como el debilitamiento de la confianza en nosotros mismos.

Tensión

Muchas de las causas del insomnio se deben a períodos de estrés o ansiedad, motivados por cambios de vida, motivos laborales (pérdida de un trabajo, aumento de responsabilidades), familiares (un divorcio, la pérdida de un ser querido) o económicos. Todo ello provoca en quienes los sufren una inquietud que les repercute durante el día con pensamientos reiterativos, y durante la noche con un sueño poco tranquilo, lo que, en definitiva, facilita la aparición del insomnio.

Malos hábitos

En ocasiones las personas que sufren de insomnio generan, sin querer, unos hábitos a su alrededor que favorecen su permanencia. Nos referimos a aquellos sujetos que pasan largas horas en la cama esperando impacientes la llegada del sueño, o que se acuestan muy temprano, o que realizan ejercicios físicos intensos a última hora de la noche para estar muy cansados y favorecer ese sueño tan deseado. Otras personas hacen largas siestas con el objetivo de compensar su falta de sueño nocturno. Todos estos comportamientos agravan el problema a largo plazo, pues al no conseguir el individuo sus objetivos, se crea un efecto de rechazo y de miedo a todo aquello que tiene relación con su sueño, ya sea la cama, la habitación o el propio entorno.

Por todo ello, es importante crear unos buenos hábitos y repetirlos a diario a la hora de acostarnos, con el fin de que nuestro organismo entienda que ha llegado el momento de dormirse.

Consecuencias

Como consecuencia del insomnio, detrás de una mala noche viene un mal día: eso es algo que sabe toda persona que padece de insomnio, de ahí su miedo cuando llega la noche. Ese mal día se traduce en cansancio, irritabilidad, disminución de la concentración, ansiedad y, en determinados casos, depresión.

El resultado de esta cadena de reacciones es el círculo vicioso del insomnio.

Estrés y sueño

La palabra estrés deriva del inglés *stress*, que significa tensión. Cuando el insomnio es debido al estrés o tensión que soportamos durante el día, nos será útil combatirlo recurriendo a todas aquellas técnicas que favorezcan la relajación.

Todos sabemos que para iniciar el sueño y descansar eficazmente tenemos que estar relajados. Si nos acostamos con excesivas preocupaciones y pensamientos negativos, nuestro cerebro no se relajará y, por tanto, no permitirá la llegada del sueño.

Las situaciones de tensión difíciles de controlar las puede padecer tanto un estudiante como un ejecutivo o un ama de casa. Según las situaciones estresantes del entorno y la reacción del propio individuo, pueden ser más o menos amenazantes. En mayor o menor grado, todos hemos experimentado estrés en algún momento de nuestras vidas, al igual que todos hemos padecido una noche de insomnio a lo largo de nuestra existencia.

María G., de 37 años de edad. Desde hace cuatro años presenta dificultades para conciliar el sueño, coincidiendo con el embarazo y posterior nacimiento de su hijo.
A partir de los seis meses, su hijo Daniel ya dormía toda la noche. No obstante, María empezó a tener dificultad para conciliar el sueño cuando se iba a la cama. Comenta que, al no dormirse, empezó a realizar actividades domésticas, como planchar y preparar la comida del día siguiente, hasta que se sentía muy cansada y se acostaba. En la exploración se comprueba que no presenta problemas emocionales y tiene una vida estable. Trabaja media jornada para tener más tiempo libre y poder ocuparse de su hijo.

Tiene un tipo de personalidad activa y nerviosa, se preocupa mucho por las cosas. Nos comenta que siempre tiene la sensación de que no tendrá tiempo para realizar sus tareas, ya sean laborales, domésticas o familiares.

Durante el día se siente cansada, irritable, y cualquier contratiempo la hace estar más nerviosa.

Después de cenar se queda dormida en el sofá mirando la televisión. Después se va a la cama, y a partir de ese momento empieza su pesadilla, porque no consigue dormirse. Es entonces cuando empieza a mirar el reloj, a tener pensamientos de preocupación y a angustiarse porque no se duerme. Cuando no puede más, se levanta y se pone a realizar tareas, con la preocupación añadida de que al día siguiente estará cansada y de mal humor.

Una vez descartada, mediante la historia clínica, cualquier causa física que pueda ser el origen de su insomnio, establecemos cambios de algunos hábitos que tiene instaurados y que son poco favorecedores para su sueño.

Preparamos un programa tendente a sustituir los pensamientos desagradables y ansiosos por otros tranquilizadores, con la finalidad de romper ese círculo vicioso que le provoca malestar durante el día y le perjudica en la conciliación del sueño a la hora deseada.

Insomnio por enfermedades orgánicas

Muchas de las causas que provocan insomnio como síntoma secundario son debidas a enfermedades orgánicas. Entre ellas encontramos:

Cardiopatías

Se suelen denominar cardiopatías a aquellas enfermedades propias de las estructuras del corazón, es decir, a alteraciones en las que aparecen manifestaciones típicas de isquemia miocárdica.

En estos casos el enfermo se queja de una opresión o dolor precordial irradiado a unos puntos clásicos, tales como el hombro, el brazo izquierdo y /o la mandíbula.

Los episodios de angina son más frecuentes durante el sueño REM, puesto que en esta fase se produce un incremento de la actividad del sistema nervioso autónomo, de la presión arterial y de la frecuencia cardíaca. Los cambios del ritmo cardíaco son más frecuentes durante el sueño REM.

Diversos estudios han puesto de manifiesto que la presencia de trastornos respiratorios durante el sueño es un hecho común en pacientes con enfermedad coronaria.

Dolor

Podemos definirlo como una sensación subjetiva de incomodidad y molestia en alguna o algunas partes del cuerpo, por ejemplo, dolor en las articulaciones, dolor menstrual, cefaleas y dolores musculares, etcétera, que, además de presentarse durante el día, también impedirán un sueño reparador y de calidad durante la noche.

El dolor físico puede dividirse en dos grandes grupos: dolor agudo y dolor crónico, según el tiempo de duración.

Aunque no conocemos la relación neurofisiológica, sí se sabe que el dolor produce alteraciones en los patrones de sueño y, como consecuencia, las personas que lo padecen presentan somnolencia diurna, cansancio, irritabilidad y cambios de humor. Por lo tanto, el problema no sólo es el dolor en sí, sino también la alteración que provoca en el sueño, lo que afectará a la calidad de vida, tanto física como psicológica. Estas personas se hacen a su vez más vulnerables a sufrir dolor, lo que las hace adentrarse en un círculo vicioso.

La queja principal que presentan las personas que padecen algún tipo de dolor durante el sueño es la de que éste sea de carácter superficial, fragmentado y de mala calidad, además de presentar dificultades de conciliación (iniciar el sueño) y de mantenimiento (despertarse muchas veces durante la noche). Asimismo, los trastornos del sueño pueden incrementar el dolor crónico, entre otros síntomas.

Dentro de este grupo incluimos también a los pacientes con fibromialgia y síndrome de fatiga crónica.

Enfermedades metabólicas

Específicamente, las personas que sufren de hipertiroidismo. El tiroides es una glándula situada en la parte anterior del cuello. Cuando el tiroides produce demasiadas hormonas, se dice que el paciente tiene hipertiroidismo, en cuyo caso la intensidad de los síntomas aumenta a medida que empeora la enfermedad, situación generalmente relacionada con un aumento del metabolismo corporal.

Entre los síntomas más frecuentes podemos citar: pérdida de peso (sin pérdida de apetito), irritabilidad, taquicardia, sudoración, insomnio, sobre todo dificultad para conciliar el sueño, y cansancio. En el caso de las mujeres, pueden presentarse alteraciones menstruales.

Enfermedades respiratorias

Entre las enfermedades respiratorias que cursan con alteraciones del sueño encontramos las siguientes:

Asma nocturno: el asma es una de las enfermedades más comunes del aparato respiratorio. La población infantil es la que presenta mayor prevalencia (alrededor del 11%), mientras que entre los adultos oscila entre el 4 y el 6%. Se caracteriza por la obstrucción, total o parcial, de las vías respiratorias.

Pueden aparecer los siguientes síntomas: tos, silbidos en el pecho, secreciones (flemas), disnea (dificultad en la respiración) o fatiga.

La mayoría de los pacientes con asma padecen ataques durante la noche. El factor que más contribuye a estos ataques nocturnos es el aumento de la hipersensibilidad bronquial. Los pacientes presentan falta de aire de manera aguda: como consecuencia, se producen continuos despertares nocturnos. Todo ello hace que por la mañana se sientan muy cansados y presenten somnolencia diurna excesiva, es decir, que tienen sueño en las horas en que no corresponde.

Síndrome de apnea obstructiva del sueño (SAOS)
Forma parte de las alteraciones respiratorias asociadas con el sueño. Existe una mayor predisposición en la población masculina a desarrollar esta enfermedad. Alrededor del 4% de los hombres y el 2% de las mujeres en edad adulta presentan dicha patología. Es posible que esta diferencia se deba a la existencia de un factor hormonal protector en las mujeres. Hay que decir, sin embargo, que a partir de la menopausia se equiparan los porcentajes.

¿Cómo se manifiesta el SAOS?
Esta enfermedad se manifiesta como la dificultad e incapacidad para respirar con normalidad durante el sueño, debido a una dificultad en la libre circulación del flujo aéreo en las vías respiratorias superiores.

Cuando las personas están despiertas, la musculatura de la parte superior de la garganta deja pasar el aire hacia los pulmones sin dificultades. Esta musculatura se relaja en el momento que nos dormimos y durante el sueño, y deja un paso más estrecho pero lo suficientemente abierto para que circule el aire hacia nuestros pulmones. En ocasiones, este paso de aire provoca un ruido que todos conocemos como ronquidos, y que tantas noches han distorsionado el sueño de la pareja. Este ruido tan molesto tiene que ver con la vibración del tejido del paladar blando.

Cuando el aire no puede llegar a nuestros pulmones durante más de diez segundos, porque se ha producido una obstrucción total de las vías respiratorias, se produce lo que llamamos apnea o parada respiratoria.

Durante los períodos de apnea el nivel de oxígeno en sangre disminuye. Las apneas aparecen durante las diferentes etapas del sueño. No obstante, es en la fase de sueño REM cuando se producen con mayor intensidad y duración, probablemente porque es en esta etapa cuando tiene lugar la máxima relajación de la musculatura, incluidos los músculos de la garganta (orofaringe). Los cónyuges son los únicos testigos directos de estos acontecimientos, ya que las personas que padecen apneas obstructivas no las recuerdan, por estar dormidas.

El resultado de tales apneas es la existencia de un sueño fragmentado y poco reparador, además de otras derivaciones, como la somnolencia y el cansancio diurno.

¿Cuáles son los síntomas que podemos observar en el SAOS?

- Ronquidos.
- Apneas.
- Cansancio al despertar. Sensación de sueño no reparador.
- Dolor de cabeza por la mañana.
- Somnolencia diurna excesiva (llegando a quedarnos dormidos en horas no adecuadas).
- Disminución de la memoria y dificultad de concentración.
- Aumento de peso.
- Presión sanguínea alta o hipertensión (HTA).

Cuando un paciente tiene una apnea se produce una bradicardia, es decir, el corazón late más lentamente. Al cesar la apnea, el corazón late muy deprisa, es decir, se produce taquicardia. Tales cambios en la frecuencia cardíaca están relacionados con cambios en la adrenalina, factor que a su vez estaría relacionado con la mayor prevalencia de hipertensión arterial en estos pacientes.

¿Cuál es el tratamiento idóneo para el SAOS?
El tipo de tratamiento se determinará en función del paciente y de la causa de la obstrucción de las vías respiratorias.

- Reducción de peso en las personas que presentan sobrepeso.
- Evitar el consumo de alcohol y la toma de sedantes unas horas antes de acostarse.
- **Cirugía,** cuando las obstrucciones se producen en la nariz por causa de un tabique desviado, adenoides o amígdalas agrandadas en niños. La resección uvulopalatina (intervención quirúrgica) en casos seleccionados ha demostrado ser efectiva en un 40-50% de los pacientes.
- **Dispositivos dentales.** Se utiliza, en determinados pacientes, mayoritariamente en casos leves-moderados. No se aconsejan en casos severos.
- **Aparatos de respiración asistida o CPAP** (Continuous Positive Airway Pressure o, en castellano, Presión Continua Positiva en las Vías Respiratorias). Es el tratamiento más eficaz para el SAOS.

Consiste en un compresor que envía aire ambiental a las vías respiratorias a través de un tubo. Lo hace a una presión determinada, según las necesidades de cada paciente, mediante una mascarilla que se coloca en la nariz. De esta manera se evita el cierre de las vías respiratorias y, como consecuencia, desaparecen las apneas o pausas respiratorias y se normaliza el transcurso del sueño y las demás funciones orgánicas afectadas por las apneas.

Carlos M., de 51 años, acude a la consulta acompañado de su mujer porque desde hace un año se levanta muy cansado, se duerme en cualquier sitio e incluso ha de parar cuando esta conduciendo.

Su esposa comenta que, desde hace cinco años, ronca intensamente y, últimamente, deja de respirar mientras duerme. El paciente comenta que la percepción de su sueño es de mala calidad, superficial, y que se levanta más cansado que cuando se acostó. Como consecuencia de ello, tiene sueño durante el día, le cuesta concentrarse, está irritable y se nota apático, situación que antes no ocurría. Por la mañana se levanta con la boca muy seca, y durante la noche se despierta en varias ocasiones con necesidad de beber y de orinar.

Se le practicó una polisomnografía nocturna. Los resultados descubrieron la presencia de paradas respiratorias (apneas), con un índice de 42 apneas por hora de sueño y una desaturación de oxígeno del 75%. La estructura de sueño presentaba continuos despertares y un bajo porcentaje de las fases de sueño profundo.

Como tratamiento se le instauró un equipo de CPAP (aire a presión positiva continua), así como la observancia de medidas dietéticas para perder peso. Tras su aplicación, el paciente comenta que siente una sensación de descanso y de mejoría al levantarse por las mañanas, así como la desaparición de la somnolencia.

Enfermedades psiquiátricas

El insomnio es uno de los síntomas más frecuentes en las personas con algún tipo de trastorno mental. En ocasiones es incluso uno de los signos que nos señala su aparición.

Depresión: el trastorno depresivo es una enfermedad que afecta al organismo, al estado de ánimo y al pensamiento. No hay que confundirla con el estado de tristeza o preocupación.

Las causas de la depresión pueden incluir varios factores psicológicos y/o ambientales, así como una predisposición biológica, en ocasiones heredada. Hay que destacar que las personas que se encuentran en situaciones estresantes por acumulo de problemas y acontecimientos negativos (despido laboral, muerte de un ser querido, o incluso la falta de recursos personales para solucionarlos) pueden llegar a sufrir un episodio depresivo.

Las variables de tipo psicosocial también tienen cierto peso en su aparición. Por regla general, las vivencias de mayor riesgo para el equilibrio emocional tienen que ver con problemas familiares, de pareja y con todos aquellos relacionados con la autoestima e imagen de la persona.

Existe un tipo de depresión leve, conocido como *trastorno distímico*, que también interfiere en el funcionamiento y el bienestar de la persona.

En la mayoría de los casos, las personas que padecen una depresión manifiestan malestar físico y psicológico, cansancio e insomnio.

Cuando hablan del sueño, la queja principal de estos pacientes es que tienen un despertar precoz, que se presenta a las pocas horas de haber iniciado el sueño y que conlleva dificultades o imposibilidad para volver a dormirse. Asimismo, también pueden manifestar quejas relativas a la conciliación del sueño y al aumento de despertares durante la noche.

¿Cómo podemos tratar la depresión?

Es importante tratar la depresión cuanto antes, ya que, de este modo, evitaremos que sus consecuencias sean más intensas y duraderas. En la mayoría de los centros sanitarios se sigue un tratamiento farmacológico combinado con un tratamiento terapéutico, supervisado por un especialista en psicología clínica.

Ansiedad generalizada: la ansiedad es el síntoma principal. En la mayoría de los pacientes este estado de preocupación y ansiedad es casi permanente, variando en el transcurso del día y afectando también a la noche, durante la cual aparecen dificultades para conciliar o mantener el sueño de forma continuada, acompañadas de la sensación de disfrutar de un sueño poco reparador.

Las personas que padecen ansiedad presentan, además, síntomas físicos como inquietud, dificultad para concentrarse, irritabilidad, tensión muscular, sudoración, taquicardia y problemas gastrointestinales, entre otros. Además, se deterioran sus relaciones familiares, laborales, sociales y sus áreas de actividad.

Podemos decir que la ansiedad está asociada habitualmente a preocupaciones excesivas por la salud, el dinero, la familia y el trabajo. El simple hecho de afrontar un nuevo día puede provocar ansiedad. Igual ocurre cuando llega la noche, ya que el mero hecho de pensar si se va a dormir bien impide conciliar el sueño de forma rápida y relajada.

¿Cómo podemos tratar la ansiedad?
En ocasiones el origen de esta excesiva preocupación se hace difícil de identificar. Por ello es importante realizar un buen diagnóstico.

El entrenamiento en relajación y la psicoterapia nos van a ayudar como tratamiento efectivo en el trastorno de ansiedad generalizada. Es importante ayudar a estos pacientes a identificar y afrontar los pensamientos que contribuyen a generar ansiedad.

Además, en ocasiones se hace necesario combinar la terapia anterior con un tratamiento farmacológico, que siempre debe estar supervisado por personal médico especializado. En todos los casos hay que evitar la automedicación, ya que ésta puede agravar el cuadro clínico.

Trastorno obsesivo-compulsivo: las obsesiones son ideas, pensamientos o impulsos de carácter persistente que el propio sujeto considera inapropiados y que le provocan gran cantidad de ansiedad. Los afectados saben que son producto de su mente, y son conscientes de su irracionalidad, pero no pueden controlarlos.

Las compulsiones son los actos que el individuo se ve obligado a realizar una y otra vez para calmar sus obsesiones y aliviar y disminuir la ansiedad que le provocan. Las conductas más frecuentes son las de verificación (cerciorarse repetidas veces de que están cerrados el gas, la luz...). Si esto ocurre por la noche, el impulso los obliga a levantarse cuatro o cinco veces para comprobarlo. Las relativas a la higiene llevan a las personas a lavarse las manos continuamente y a evitar dar la mano a otras por miedo a contaminarse. Y, en fin, las de repetición de una conducta y las de repaso de un trabajo continuamente, vienen impulsadas por el convencimiento de que siempre hay algún fallo en ellas.

Por regla general, quienes están afectados por este trastorno se sienten culpables y, como ocurre en tantas otras enfermedades de tipo mental, se sufren trastornos del sueño.

Tratamiento del trastorno obsesivo compulsivo
El tratamiento dependerá en cada caso del tipo de trastorno y de la severidad del mismo. El más utilizado por la mayoría de los profesionales es un tratamiento combinado de psicoterapia y medicación.

Enfermedades neurológicas

Demencia: no es una enfermedad específica, sino un grupo de síntomas que pueden ser el resultado de varios trastornos que afectan al cerebro. Estos enfermos presentan cambios de personalidad, problemas de memoria, comportamiento, aprendizaje y comunicación, agitación, delirio y alucinaciones. Su empeoramiento es lento y progresivo.

Causas principales

- *Enfermedad de Alzheimer*: sus inicios se caracterizan por un déficit de memoria progresiva que afecta, sobre todo, a los hechos más recientes, llegando a repercutir en la vida cotidiana de los enfermos.

- *Demencia vascular*: esta causa de demencia se caracteriza por la pérdida de función cerebral, debida a una serie de accidentes cerebrovasculares.

Los principales síntomas que presentan en los patrones del sueño son:

- Insomnio
- Necesidad de dormir más.
- Cambio del ciclo sueño-vigilia.

En el caso de los enfermos con alzheimer, la degeneración que se produce en el núcleo supraquiasmático (oscilador interno que rige determinados ritmos circadianos), sería el responsable de los trastornos de los ritmos circadianos.

Mantener un horario fijo para acostarse y levantarse, evitar siestas durante el día, no permanecer demasiadas horas en cama y la actividad física durante el día son precauciones que pueden mejorar los trastornos del sueño de estos pacientes.

Parkinson: es una enfermedad neurodegenerativa que se asocia a rigidez muscular, temblor, dificultades para andar y alteraciones en la coordinación de movimientos.

El insomnio es el trastorno más frecuente en la enfermedad del Parkinson, ya sea de conciliación, mantenimiento o despertar precoz. En los estudios de sueño realizados a estos pacientes se aprecia una disminución de las fases de sueño más profundo y de la fase REM, así como continuos despertares.

Además, estos pacientes también pueden presentar otras alteraciones del sueño, como la hipersomnia (sensación de sueño constante), ataques de sueño (episodios de somnolencia irresistibles), mioclonias nocturnas y síndrome de piernas inquietas.

Algunos de los fármacos empleados en el tratamiento de los trastornos motores producen efectos secundarios sobre la cantidad y calidad del sueño. En consecuencia, los pacientes con trastornos del movimiento padecen alteraciones del sueño.

Síndrome de piernas inquietas

La patología a la que nos vamos a referir a continuación es un trastorno neurológico cuya principal causa se desconoce. Es responsable de cerca del 15% de los casos de insomnio.

Las quejas principales declaradas por las personas con esta alteración se refieren a una sensación de hormigueo desagradable e incomodidad en las piernas, lo que les lleva a una necesidad irresistible de moverse.

En la mayoría de los casos estos síntomas aparecen cuando la persona está en reposo y, generalmente, coincidiendo con la hora de acostarse, lo que le impide conciliar el sueño a la hora deseada. La sintomatología empeora durante la tarde-noche, por lo que hay personas que padecen este síndrome no sólo en la cama sino también cuando están en el cine, el teatro o un concierto, lo que provoca que tengan dificultades para permanecer en reposo y sentados. Para paliar esta desagradable sensación, los sujetos necesitan levantarse y caminar. Para encontrar mejoría recurren también a baños de agua fría, masajes o algún tipo de ejercicio con las piernas.

A menudo existen antecedentes familiares y, a pesar de que puede darse a cualquier edad, es mucho más frecuente y empeora con la edad adulta.

Criterios mínimos del diagnóstico del síndrome de piernas inquietas

- Necesidad de mover las extremidades.
- Inquietud y molestia en las extremidades.
- Los síntomas están presentes y empeoran cuando los pacientes están sentados o estirados, y mejoran con el movimiento.
- Los síntomas aparecen y empeoran durante la tarde-noche.

Existen numerosos factores que pueden agravar esta sintomatología, entre ellos el consumo excesivo de cafeína, la exposición prolongada al frío o al calor, la situación de embarazo, la existencia de problemas renales y la presencia de bajos niveles de hierro.

¿Qué personas pueden tener mayor predisposición al síndrome de piernas inquietas?

- Historia familiar positiva.
- Embarazo.
- Pacientes con patología renal.
- Bajos niveles de hierro en sangre.

Los síntomas de esta enfermedad varían de unas personas a otras. Además, no se presentan con igual severidad en todas las estaciones del año o días de la semana. Por ello, no todas las personas buscan ayuda médica, ya que consideran que no se les va a tomar en serio y que su problema puede originarse a causa del estrés, el nerviosismo, el reuma o, simplemente, la edad.

Actualmente se sigue investigando en su prevención y en la búsqueda de los tratamientos más adecuados y con menos efectos secundarios. No obstante, los profesionales de la medicina del sueño conocen y saben tratar con los fármacos que existen en el mercado y con recomendaciones no farmacológicas los síntomas de dicha patología, con el objetivo de reducir o eliminar las molestias y, en consecuencia, lograr la restauración y la mejoría de la calidad del sueño.

Movimientos periódicos de las extremidades (MPE)

Son contracciones breves y repentinas que se producen, por lo general, en las extremidades inferiores y que aparecen durante el sueño.

El 80% de las personas que padecen el síndrome de piernas inquietas también suelen realizar movimientos periódicos de las extremidades cuando duermen. Por regla general, aparecen en las fases más superficiales del sueño, e impiden su progresión hacia las fases más profundas del mismo.

Su carácter es involuntario y la persona que los realiza no es consciente de ello. En la mayoría de los casos es la pareja la que se da cuenta o sufre estas «pataditas».

Su aparición aumenta con la edad, y el mayor porcentaje de casos se concentra en los mayores de 65 años. Sin embargo, también hay casos descritos en la infancia y adolescencia, que a menudo se confunden con alteraciones de hiperactividad o dolores de crecimiento.

Estos movimientos repetitivos son origen de numerosos despertares que interrumpen el sueño, y son causa de quejas de insomnio, sueño poco reparador y de somnolencia excesiva diurna.

Hay que diferenciar las mioclonías, que aparecen al inicio del sueño, en el período de transición entre la somnolencia y la fase 1 de sueño ligero, de los movimientos periódicos comentados anteriormente.

Características principales de los movimientos periódicos de las extremidades

- Aparecen cuando la persona está dormida.
- Se dan en las fases más superficiales del sueño.
- Suelen provocar fraccionamiento del sueño, pero no en todos los casos.
- Aparecen en mayor proporción en la edad adulta. También pueden darse en la infancia y adolescencia.

Insomnio por causas externas

Por regla general, al llegar la noche esperamos y deseamos finalizar el día con un buen descanso, es decir, disfrutar de un buen sueño y de buena calidad, lo cual suele producirse espontáneamente, a no ser que tengamos una enfermedad que nos lo impida.

Pero también es cierto que tenemos días o, mejor dicho, noches en las que, por culpa de nuestros pensamientos, preocupaciones o malos hábitos, pueden producirse interferencias en la consecución con éxito de esta actividad tan necesaria para todos. Por ello, cuando una o varias noches no descansamos correctamente, nuestra calidad de vida se verá afectada y, si eso ocurre reiteradamente, va a quedar minada nuestra atención en perjuicio de los demás focos de interés.

En este apartado nos vamos a centrar en todos aquellos aspectos externos que debemos cuidar para conseguir un sueño de buena calidad, es decir, en aquellos factores que intervienen en nuestro sueño y cuyo mal funcionamiento puede jugarnos una mala pasada, con el resultado final de pasar una noche en blanco. Nos estamos refiriendo al ruido, la cama, la temperatura o la luz, factores que no afectan a todas las personas por igual, ya que hay unas que son más sensibles que otras y, por tanto, tendrán que tener mayor precaución.

Mala higiene de sueño

Sabemos, porque a todos nos ha afectado en alguna ocasión, que cuando alteramos de forma constante y reiteradamente nuestras rutinas diarias se producen alteraciones destacables de nuestro sueño.

Nos referimos a la falta de orden a la hora de acostarnos y levantarnos, a dormir pocas horas porque estamos realizando múltiples actividades, a realizar ejercicio a última hora del día, a cenar tarde y de modo abundante, a hacer siestas de larga duración, a tomar bebidas estimulantes como el café, el té y las colas, así como al tabaco fumado en exceso. Estos malos hábitos, que en teoría sabemos que pueden perjudicarnos, a veces los tenemos tan instaurados en nuestra vida diaria que no somos capaces de prestarles la suficiente atención cuando empezamos a sufrir malas noches de sueño. Son malos hábitos que perjudican a nuestra calidad del sueño y, por tanto, degradan nuestra situación física y mental.

¿Cuáles son los consejos para una buena higiene del sueño?

Todas aquellas actividades que nos faciliten o, por lo menos, no interfirieran u obstaculicen el camino de un sueño apacible y de buena calidad van a proporcionarnos un beneficio al día siguiente. Cada uno debe escoger cuáles son sus rutinas previas antes de acostarse. La mayoría de las personas las realizan de forma casi automática. Así, por ejemplo, nos damos un baño, nos ponemos el pijama, vamos al baño, nos lavamos los dientes, nos metemos en la cama, hasta que por fin apagamos la luz. Es entonces cuando indicamos a nuestro cerebro que ya estamos preparados para la desconexión mental, el momento en que necesitamos relajarnos hasta conciliar el sueño.

Pautas para una buena higiene de sueño

- Mantener unos horarios regulares a la hora de acostarse y también al levantarse.
- Establecer unas rutinas previas al acostarse, es decir, realizar las tareas necesarias, como lavarse los dientes de forma tranquila y siguiendo un cierto orden. Dejar, asimismo, las preocupaciones y problemas resueltos, o aparcarlos para el día siguiente.
- Cenar una comida ligera, y dejar pasar unas dos horas antes de acostarnos.
- Evitar las bebidas estimulantes o excitantes (café, té, colas, chocolate), como mínimo tres o cuatro horas antes de acostarse.
- No tomar alcohol por la noche, pues, aunque produce somnolencia al inicio del sueño, va a perjudicar en su calidad, provocando despertares nocturnos.
- La nicotina también es un excitante. Por lo tanto, no hay que fumar antes de acostarse y tampoco en los despertares nocturnos.
- Mantener una temperatura adecuada en la habitación: entre 18 y 20 grados.
- Protegerse del ruido y de la luz, factores que perjudican a la hora de conciliar el sueño y provocan despertares.
- Hacer ejercicio es saludable, pero a última hora del día no produce un efecto estimulante y afectará a nuestro sueño.

- Evitar hacer siestas demasiado largas.
- No debemos esperar dormirnos nada más apagar la luz. El sueño es un proceso que aparecerá por sí solo. Cuanto más nos esforcemos, más tardaremos en dormirnos.

Conviene revisar nuestras rutinas a la hora de acostarnos. Es posible que modificando tan sólo algunos hábitos sea suficiente para lograr un sueño reparador y continuado.

Ruido

Es un importante factor externo que provoca una alteración en nuestro sueño. Afecta sobre todo a personas que viven en calles muy transitadas, que tienen locales nocturnos cerca de su casa o que viven en las inmediaciones de un aeropuerto (cuántas veces hemos visto en los medios de comunicación las protestas de los vecinos que viven cerca del aeropuerto de Madrid o de Barcelona).

Las molestias ocasionadas por el ruido nocturno son uno de los principales motivos de queja de los ciudadanos a las autoridades, ya que impiden dormir en condiciones adecuadas. En este apartado también podemos incluir los ruidos que se producen en nuestra propia casa, por ejemplo, la existencia de una pareja roncadora. Son situaciones problemáticas cuya solución no siempre está en nuestras manos, lo que no nos debería impedir la búsqueda de estrategias convenientes para paliar o amortiguar las molestias como, por ejemplo, cambiar la ubicación del dormitorio, instalar ventanas dobles o acostumbrarnos a dormir con tapones en los oídos.

Hay personas más sensibles que otras, y las hay que tienen más facilidad para adaptarse a los ruidos, a pesar de que su sueño no sea bueno. Lógicamente, los sujetos que sufren de insomnio tendrán mayor dificultad para conciliar el sueño, puesto que cualquier sonido, por tenue que sea, les va a afectar mucho más.

Sabemos que nuestro cerebro tiene la capacidad de discriminar sonidos significativos de otros que no lo son. Así, por ejemplo, una madre se despierta rápidamente cuando oye llorar o toser a su bebé, mientras que, por el contrario, no la despierta una noche lluviosa con rayos y truenos. También se ha comprobado que sonidos bruscos, como los que producen un trueno, el frenazo de un coche o el camión de la basura nos provocan despertares o sueño fragmentado, con lo que el sueño sometido a estos ruidos será más superficial.

Luz y/o temperatura

Muchos de los ritmos biológicos internos están regulados por la luz. Entre ellos está la organización circadiana de sueño-vigilia y la secreción de hormonas rítmicas como, por ejemplo, la melatonina. Esta hormona, también conocida como la hormona del sueño, se empieza a generar en nuestro cerebro en el preciso momento en que empieza a desaparecer la luz natural.

Por ello, y para facilitar una mejor conciliación del sueño, debemos procurar que exista una oscuridad absoluta. En el caso de que formemos parte del grupo de personas que se despiertan al amanecer por la luz que entra por las ventanas con la consiguiente imposibilidad de volver a conciliar el sueño, deberemos tener la precaución de cerrar las persianas cuando nos acostemos o poner un tipo de cortinas que no permitan el paso de la luz.

Otra causa ambiental a tener en cuenta es la temperatura del dormitorio y la de nuestra propia cama. Pasar frío o pasar calor va a influir en la calidad de nuestro sueño. Hay que buscar el nivel de temperatura en el que nos encontremos a gusto. A modo de orientación, las investigaciones han demostrado que una temperatura entre 16º-20º nos permitirá disfrutar de un sueño más reparador.

Cama y/o colchón

También desempeñan una función esencial, que debe tenerse en cuenta, para la buena calidad del sueño. Debemos escoger los que mejor se adaptan a nuestras necesidades. Hay que tener en cuenta la edad, el peso, si tenemos o no algún problema de espalda, etcétera. A la hora de escoger la cama o el colchón, hay que buscar nuestra comodidad y probarlos antes. La cama no ha de ser ni muy dura ni tampoco muy blanda. Es importante la anchura, sobre todo si no dormimos solos, ya que los movimientos de nuestra pareja también afectarán a nuestro sueño. Y, por supuesto, si diez un colchón de más de diez años, con el consiguiente deterioro, habrá que ir pensando en renovarlo.

Hay personas que utilizan la cama no sólo para dormir o mantener relaciones amorosas, sino también para actividades impropias como ver la televisión, comer, trabajar, preparar reuniones o exámenes, etcétera. Lo más probable es que cuando quieran dormir tengan la mente tan ocupada y tan poco relajada que les sea dificultoso conciliar el sueño. Tomen nota: ¡la cama es sólo para dormir, y para el sexo!

Alcohol

A pesar de que el consumo de alcohol nos produce un efecto relajante y provoca una somnolencia que disminuye la latencia de nuestro sueño, es decir, el tiempo que tardamos en quedarnos dormidos, la realidad es que el alcohol no nos beneficia en nada a la hora de conseguir un sueño más reparador, puesto que evita que progresemos hacia las fases de sueño más profundas y provoca la presencia de un sueño más superficial y con despertares, sobre todo en la segunda mitad del período dormido. El resultado de todo ello es que acabamos por tener un sueño más corto y menos reparador, justo lo contrario de lo que desearíamos.

Tabaco

La nicotina, o sea, el tabaco, es otro de los estimulantes que producen una activación fisiológica que distorsiona el sueño. Diversos estudios realizados en pacientes fumadores han demostrado que tienen mayor dificultad para quedarse dormidos y un sueño de peor calidad que el de las personas no fumadoras. Si se fuma a última hora del día o antes de acostarse, como hace mucha gente, porque lo asocian a relax, o en el momento de algún despertar nocturno, provocará alteraciones en el sueño, así como las demás contraindicaciones que tiene para la salud.

David M., de 48 años de edad. Acude a la consulta porque desde hace un año se despierta sobre las cuatro de la madrugada y no consigue conciliar de nuevo el sueño. Anteriormente, nunca había tenido problemas.
Posee una pequeña empresa a cincuenta kilómetros de su domicilio. Como se despierta a media noche y no puede permanecer en la cama, ha decidido empezar su jornada laboral sobre las 6.30 horas.
Comenta que cuando se despierta de madrugada está totalmente despejado, y es cuando me-

jor resuelve y organiza su actividad laboral. Sin embargo, a media mañana se siente cansado, con somnolencia, y tiene dificultades para concentrarse, así como disminución de la memoria. Realiza a diario una siesta de aproximadamente dos horas y media.

Tiene un carácter perfeccionista y exigente, con cierta tendencia al pesimismo. No fuma, no ingiere alcohol ni bebidas estimulantes. Tampoco realiza ejercicios habitualmente ni tiene grandes aficiones. Su tiempo libre lo dedica a la familia y el trabajo.

Una vez realizada la exploración física y psicológica se constata una personalidad con tendencia a un estado anímico bajo.

Como solución, planteamos cambios en sus hábitos diurnos. El primero de ellos es no empezar la jornada laboral antes de las ocho horas, así como la eliminación de la siesta. Se establece una intervención sobre los pensamientos que están interfiriendo cuando se despierta de madrugada, para modificarlos y sustituirlos por pensamientos más realistas y saludables.

Le enseñamos a poner en práctica regularmente alguna técnica de relajación, adecuada a sus características personales.

Bebidas estimulantes

Nos referimos a todas aquellas bebidas que espolean nuestro cerebro y lo hacen más activo momentáneamente. Entre ellas, cabe citar el café, el té, las colas y el chocolate.

La mayoría de las personas sienten la necesidad de tomar café o té para empezar el día. La estimulación que produce el café deriva de la cafeína, un producto que contribuye a que nos sintamos despiertos y despejados a la hora de afrontar el nuevo día. La costumbre de abusar de estas sustancias produce el efecto de un mayor grado de tolerancia a su consumo, lo que lleva a que cada vez necesitemos una mayor cantidad del producto para mantener el mismo nivel de conciencia.

Si, además, añadimos que las personas que abusan de tales sustancias tienen dificultades para conciliar el sueño, el problema se multiplica, ya que su consumo retrasa la hora de conciliar su sueño y disminuye el período de tiempo en que están dormidos.

Para evitar que la cafeína perturbe nuestro sueño, deberemos consumirla por la mañana hasta el mediodía, y sustituir por la tarde las bebidas que la contienen por otras, como infusiones o productos descafeinados. De esta forma contribuiremos a preparar nuestro cerebro para la relajación y no para la estimulación, con el propósito de inducir un sueño reparador que nos depare un buen día siguiente.

Puntos clave:

- La cantidad de sueño varía de una persona a otra. La mayoría de los adultos necesita entre siete y ocho horas de sueño cada noche.
- Muchas de las causas del insomnio se deben a períodos de estrés o ansiedad, motivados por cambios de vida, motivos laborales, familiares o económicos.
- En ocasiones, las personas que sufren de insomnio generan, sin querer, unos hábitos negativos a su alrededor que favorecen su permanencia.
- Mantener unos horarios regulares, establecer unas rutinas previas al acostarse, no tomar estimulantes y dejar las preocupaciones y problemas resueltos, son actitudes que nos facilitarán el camino del sueño.

3. El sueño en la mujer

Desde el primer momento en que se empezó a estudiar el sueño se prefirió como sujeto de estudio el sexo masculino, debido a su menor complejidad fisiológica con respecto al sexo femenino.

Existen condiciones biológicas únicas en la mujer que se producen cíclicamente, como el ciclo menstrual, la ovulación, el embarazo y la menopausia, situaciones en las que se producen cambios en los niveles de hormonas. Muchas de las investigaciones realizadas se han enfocado en la obtención de pruebas que evidencien los efectos directos de los flujos hormonales como causa de algunos trastornos del sueño. Además de estos cambios, también se han tenido en cuenta el papel que juega el estilo de vida y los factores ambientales y emocionales en la afectación del sueño de la mujer.

Hay que explicar la influencia de las hormonas sexuales en la regulación del sueño femenino:

Estrógenos: su nivel adecuado produce un aumento del tiempo total del sueño y el de la fase de sueño REM.
Progesterona: su acción sobre el cerebro y el sistema nervioso central influye sobre la temperatura del cuerpo, y a su vez estimula los centros respiratorios, mejorando la respiración pulmonar. Tiene propiedades somníferas y, cuando está disminuida, altera la calidad del sueño.

Alteraciones del sueño durante el ciclo menstrual

Los cambios cíclicos de los niveles de estrógenos y progesterona, y los cambios de temperatura durante el ciclo menstrual pueden ser los responsables del sueño poco reparador que algunas mujeres presentan dos o tres días antes del ciclo menstrual. Otros factores que también pueden influir en la calidad del sueño son el estrés, la enfermedad, la dieta y los malos hábitos. Asimismo, en este período premenstrual se da sensación de hinchazón, dolor de cabeza, irritabilidad, cambios de humor y calambres, que pueden estar contribuyendo a crear problemas de insomnio o de somnolencia y fatiga durante el día.

Recomendaciones de ayuda para esta etapa

- Establecer rutinas previas al sueño y mantener horarios regulares.
- Cuidar el entorno (evitar los ruidos, temperaturas extremas y asegurarse de la comodidad de la cama).
- Cenar ligero y evitar las bebidas estimulantes (café, colas), así como el tabaco.
- No realizar ejercicio a última hora del día.
- Procurar acostarse relajada y evitar pensamientos que no favorezcan el sueño.

Alteraciones del sueño durante el embarazo y período posparto

Las alteraciones hormonales durante el embarazo, el crecimiento del feto durante la última etapa de embarazo y los despertares nocturnos del recién nacido contribuyen a la aparición de alteraciones o trastornos del sueño de la madre. Estas alteraciones e interrupciones varían según el trimestre de gestación, los ciclos del sueño y el período de lactancia del recién nacido.

Durante el embarazo la placenta es responsable del aumento en la secreción de diversas hormonas. La progesterona, una de ellas, es esencial para el desarrollo del embarazo. Ya desde el primer trimestre se produce su rápido aumento, lo que produce claros síntomas de somnolencia o problemas en el sueño, que han de ser considerados tan corrientes como los mareos propios del embarazo.

Existen estudios que han demostrado que los problemas de sueño son más intensos a medida que el embarazo progresa.

- **Primer trimestre**: se producen niveles altos de progesterona, aumentando la sensación de somnolencia. Los problemas de sueño se asocian a las náuseas y los vómitos, el dolor de espalda y la frecuencia urinaria por la noche.
- **Segundo trimestre**: hemos de añadir los movimientos del feto, la acidez gástrica y la dificultad en la búsqueda de una posición cómoda.
- **Tercer trimestre**: los problemas del sueño están más relacionados con la frecuencia urinaria (el feto pone presión sobre la vejiga), dolores de espalda,

sensación de ahogo al respirar, dolores y molestias en las extremidades.

Durante esta etapa de la vida de la mujer se han observado dos patologías que desaparecerán después del parto. Nos referimos al síndrome de piernas inquietas y al síndrome de apnea obstructiva.

Síndrome de piernas inquietas en el embarazo

Es una alteración frecuente durante el tercer trimetre del embarazo, y afecta al 15% de las mujeres embarazadas. Se manifiesta con molestias desagradables de hormigueo y dolor en las piernas, con necesidad de moverlas para paliar o disminuir estos síntomas, que vuelven a aparecer cuando dejamos de movernos. Como consecuencia, existen dificultades para conciliar el sueño, además de la presencia de despertares nocturnos.

Estos síntomas desaparecen tras el parto. No obstante, hay mujeres que presentaban esta patología antes del embarazo. Asimismo, el síndrome de piernas inquietas suele ir acompañado de otra sintomatología, conocida con el nombre de movimientos periódicos de las extremidades o mioclonías nocturnas. Aparecen durante el sueño y se manifiestan con pequeñas patadas. Todo ello es causa de numerosos despertares que interrumpen la regularidad del sueño y provocan una mala calidad del sueño de la embarazada, así como una excesiva somnolencia y fatiga durante el día.

Una de las causas que puede contribuir a la aparición de estos trastornos puede ser la deficiencia de hierro y/o ácido fólico que se da en esta etapa de la vida de mujer.

Ronquidos y síndrome de apnea obstructiva del sueño en el embarazo

Las mujeres que roncan suelen tener los conductos respiratorios más estrechos de lo normal, por lo que son más propensas a desarrollar apneas, es decir, períodos en los que se detiene la respiración durante el sueño.

Debido al aumento de peso, la mujer embarazada puede empezar a roncar, aunque nunca antes lo haya hecho, y si este ronquido es muy intenso puede llegar a desarrollar apneas. Como respuesta a este déficit de oxígeno (hipoxia) se producen despertares nocturnos asociados a estos episodios de apneas. Esta situación provoca una privación de sueño, con la consecuente somnolencia diurna.

La evaluación y tratamiento de estos episodios son esenciales para la salud, ya que la hipoxia que se produce en el episodio de apnea no sólo provoca somnolencia diurna, sino que predispone al feto al desarrollo de complicaciones.

Si los síntomas citados van acompañados de una somnolencia severa es necesario comunicarlo al médico. Aunque la mayoría de las veces estos síntomas desaparecen cuando el bebé nace, no debe descartarse la realización de un seguimiento.

Período de posparto

Se define generalmente como el período de tiempo que se inicia después del parto, con una duración aproximada de seis meses. Empieza con el nacimiento del bebé y continúa a lo largo del período de lactancia, hasta que el niño se desarrolla y establece un horario regular de sueño por la noche.

Las mayores preocupaciones de las mujeres en el período posparto son la pérdida de sueño y la fatiga debidas a la presencia del nuevo bebé en casa. Esta pérdida de sueño está ocasionada, en parte, por las interrupciones nocturnas causadas por las necesidades alimenticias del bebé. Por ello es recomendable tratar de dormir alguna siesta cuando los bebés también la hacen.

Recomendaciones de ayuda para esta etapa

- Practique ejercicio durante el día para mejorar su circulación.
- Disminuya la ingestión de líquidos antes de acostarse.
- Cuide su alimentación. No tome alimentos picantes ni ácidos, para prevenir la acidez gástrica.
- Busque la posición más cómoda, utilizando si es necesario almohadas especiales.
- Practique técnicas de respiración y relajación para favorecer un sueño más placentero.

Alteraciones del sueño en el período peri y post menopausia

Definimos la menopausia como el cese de la función cíclica de los ovarios, que se manifiesta por la desaparición de la menstruación. La reducción de la función ovárica puede observarse antes, durante lo que llamamos período perimenopáusico, a lo largo del cual se producen gradualmente cambios en el ciclo menstrual y síntomas vasomotores (contracción o dilatación de los vasos).

La edad media en que se produce este cese de la función ovárica se sitúa alrededor de los cincuenta años, y va acompañado de gran número de síntomas que se deben a la reducción de los estrógenos y de la progesterona que circulan por la sangre.

Desde la perimenopausia hasta la posmenopausia, las mujeres sufren mayor cantidad de problemas de sueño, además de otros relacionados con él. El motivo por el que aparecen estos síntomas resulta difícil de diagnosticar, ya que, como sabemos, el sueño se vuelve más fragmentario con la edad y con la presencia de trastornos tales como la apnea o los movimientos periódicos, que se convierten en patologías cada vez más comunes en las personas maduras. Todos los estudios sobre el tema coinciden en sostener que los cambios hormonales en esta etapa de la vida van a influir en los problemas de sueño.

En resumen, los trastornos del sueño más comunes que experimenta la mujer durante el citado período son: insomnio (de inicio y/o de mantenimiento); sudores nocturnos, con tendencia a despertarse por el aumento de la temperatura del cuerpo, lo que contribuye a una peor calidad de sueño y puede ser causa de la fatiga al día siguiente; ronquidos con o sin apneas, y movimientos periódicos de las extremidades inferiores. Estos problemas de sueño van acompañados con frecuencia, de estados de decaimiento emocional y de ansiedad.

Otros síntomas que también se dan en esta etapa son: sofocos, sequedad vaginal, aumento de la frecuencia urinaria, palpitaciones, dolores de cabeza, ansiedad, irritabilidad, cambios de humor, pérdida de memoria, dificultad para concentrarse y aumento de peso.

Recomendaciones de ayuda para esta etapa

- Mantenga una dieta equilibrada y baja en grasas.
- Practique ejercicio regularmente para fortalecer sus huesos y evitar el sobrepeso.
- Evite bebidas estimulantes, tabaco y alcohol unas cuatro a cinco horas antes de acostarse.
- Duerma con ropa cómoda y evite mantas pesadas.

Puntos clave:

- Existen condiciones biológicas únicas en la mujer que producen cambios en los niveles de hormonas. Además de estos cambios, también se ha tenido en cuenta el papel que juega el estilo de vida y los factores ambientales y emocionales en la afectación del sueño de la mujer.
- Los trastornos del sueño más comunes en la mujer durante el período peri y post menopausia son el insomnio, sudores nocturnos, con tendencia a despertarse por el aumento de la temperatura del cuerpo, lo que contribuye a una peor calidad de sueño.
- Los problemas de sueño van acompañados, con frecuencia, de estados de decaimiento emocional y de ansiedad.

4. El sueño de los niños y adolescentes

A lo largo de la vida, el proceso del sueño evoluciona y se adapta a las necesidades del ser humano. Por ello, cuando hablamos de problemas de sueño no nos referimos a lo mismo cuando hablamos de un recién nacido que cuando se trata de un niño, un adolescente o una persona mayor.

El sueño de los niños

En el recién nacido el control del sueño y la vigilia ya vienen determinados por un «reloj biológico» que marca unos patrones, que se repiten cada tres o cuatro horas. Son los momentos en los que el niño se despierta, come, se le limpia y vuelve a dormir. Sin embargo, aunque hay recién nacidos que no siguen este patrón, no por ello vamos a interpretar que tienen problemas de sueño o vayan a tenerlos.

A partir del cuarto o quinto mes, el bebé empieza a adaptarse a un ciclo de veinticuatro horas, y es entonces cuando se van incrementando los períodos de sueño nocturno hasta que llega a las doce horas seguidas.

El funcionamiento de este reloj está influenciado por condiciones medioambientales de luz/oscuridad. Por tanto, es conveniente enseñar desde el principio a nuestro bebé a diferenciar el día de la noche.

Los primeros años

Desde el nacimiento, es evidente que los bebés no se comunican a través del lenguaje, sino mediante el llanto, la sonrisa, el lenguaje corporal, etcétera. Somos los adultos quienes interpretamos dichas conductas y acudimos para satisfacer sus necesidades. Estos primeros años son de gran importancia para su desarrollo, y es a través de nuestra afectividad (caricias, juegos, abrazos, enseñanza...) que se afirma el pilar principal necesario para fortalecer su seguridad, además de ayudarles a iniciar el camino hacia su futura autonomía. Cuando no adquiere la confianza necesaria, el bebé genera, en ocasiones, problemas conductuales, que manifiestan a través de la alimentación (se niega a comer) o de trastornos del sueño.

En otras ocasiones, las enfermedades, los tratamientos farmacológicos, la ansiedad que provoca la separación o la agitación son causas que predisponen a alterar el sueño de nuestros hijos, lo que se manifiesta con dificultades para dormirse o con frecuentes despertares nocturnos, y la consiguiente imposibilidad de volver a dormirse por sí solos.

¿Cuántas horas necesita dormir un bebé?

La duración del sueño nocturno de un bebé se va incrementando progresivamente. Al principio duerme de cuatro a ocho horas, hasta que adquiere la maduración necesaria y llega a las doce horas seguidas, con alguna interrupción y despertares breves. Además, hasta que no ha cumplido el año, necesita hacer dos siestas durante el día, una por la mañana y otra por la tarde. En total el bebé duerme entre dieciséis y dieciocho horas diarias.

¿Qué debemos hacer para favorecer un sueño apacible?

En primer lugar, hay que conceder a nuestro hijo ese tiempo que necesita para la maduración y consolidación de sus ritmos biológicos. Como ya hemos comentado, es importante ayudarle a diferenciar el día de la noche. Durante el día hay más luz, más ruido, en definitiva, más actividad, mientras que cuando llega la noche también llega la calma, el silencio y la oscuridad. Hay que preparar un entorno favorable, tanto físico como mental, que le influya en la adquisición de un sueño adecuado en cantidad y calidad.

Es primordial crear unas rutinas en torno a su sueño que deberán ser siempre las mismas. Nos referimos a todas aquellas actividades que realizamos antes de acostarlo: baño, cena, ponerle el pijama, cambiarle los pañales... todo ello acompañado de una continua manifestación de afectividad y calma, con el fin de propiciar ese momento tan necesario de forma tranquila y sin agobios. Escogeremos también un objeto que funcionará como intermediario, por ejemplo, un peluche, un pañuelo, una almohada... Todo este ritual y la compañía afectiva le darán tranquilidad, seguridad y bienestar.

El sueño en los niños a partir del año

A medida que el niño crece disminuye la necesidad de realizar siestas diurnas. Cuando tiene entre uno y cuatro años, duerme unas doce o trece horas nocturnas y hace una siesta después de comer. Es a partir de los cinco años, coincidiendo con la escolaridad, cuando deja de hacer la siesta de la tarde y duerme sólo por la noche, entre diez y doce horas. No obstante, no hay reglas fijas y a unos niños les cuesta adaptarse más que a otros.

Aquí debemos resaltar la importancia de la actitud de los padres frente al aprendizaje de este hábito tan necesario para la salud del niño. De inicio, hay que establecer unos horarios regulares, tanto a la hora de acostarse como de levantarse. Para ello contamos con la ayuda del reloj biológico, que les va a favorecer el adormecimiento y la posterior entrada en un sueño profundo y reparador, siempre y cuando el niño esté en las condiciones óptimas, es decir, con todos aquellos rituales anteriores realizados. De este modo facilitamos su relajación e indicamos a su organismo que ya está preparado para entrar en el mundo de los sueños. También ayudará en esta transición el silencio, la luz apagada y el hecho de que estén resueltos los conflictos que hayan surgido durante el día o, al menos, aparcados hasta el día siguiente.

Por tanto, la mejor hora para que el niño se vaya a la cama será alrededor de las 20.30 horas en invierno, y las 21.00 horas en verano. Dependiendo del niño, el despertar se producirá doce o trece horas después. Es de imaginar que la hora de levantarse será la misma los días laborables que los fines de semana. Por ello, si durante la semana se levanta a las 8 de la mañana, no debe esperarse que los fines de semana se levante a las 11 y deje dormir más a sus padres. Si no se pueden seguir estas consignas, se hace necesario replantearse la organización familiar y social para facilitar que los progenitores tengan más tiempo, tanto cualitativo como cuantitativo, para dedicarlo a sus hijos. De este modo podrán realizar de forma tranquila todas las actividades educativas y afectivas necesarias para el bienestar de sus hijos.

Consejos para facilitar el sueño de su hijo

- Ayudarle a diferenciar el día de la noche. Durante el día estarán presentes unos determinados ruidos, además de la luz. El bebé se dormirá con todos estos elementos presentes. Por la noche, en cambio, descienden la actividad y el ruido, así como la luz.
- Asegurar que el niño esté limpio, con ropa cómoda, sin hambre ni sed.
- Su entorno siempre ha de ser el mismo. Si no se duerme, de nada sirve que lo cambiemos continuamente de lugar, trasladándolo de su habitación al comedor, de éste a la habitación de los padres, y así sucesivamente. Con ello sólo contribuimos a su inseguridad y, por tanto, a introducir errores en su aprendizaje.

- Repetir siempre las mismas rutinas antes de acostarlo: esto le proporcionará seguridad.
- El niño necesita tener presentes sus cosas para sentirse seguro. Con este fin, escogeremos un objeto (peluche, pañuelo, almohada...), que le ayudará a no sentirse solo, le proporcionará confianza y le ayudará a conciliar el sueño.
- No acudir inmediatamente al primer grito del bebé. Es mejor esperar unos instantes. Si no se calma, acudiremos, ya que dejarle llorar desesperadamente aún lo excitará más y hará que pierda la confianza en nosotros.
- Mostrarnos confiados y tranquilos antes de acostarlo y también cuando es necesario acudir a su habitación para calmarlo.

A pesar de que las necesidades de dormir del niño disminuyen con la edad, debemos tener en cuenta que el sueño ha de seguir siendo la actividad del día a la que más horas dedique. Por tanto, dormir bien, tanto en calidad como cantidad, es el resultado de tener buenos hábitos del sueño, y la enseñanza de esta práctica es responsabilidad de los padres.

Las alteraciones del sueño en el niño son frecuentes. Si éstas son esporádicas, no hay que darles mayor importancia, pero cuando se presentan con elevada intensidad y reiteración pueden llegar a perjudicar el desarrollo evolutivo del niño, lo que se traducirá en problemas de comportamiento (se muestran más irritables), somnolencia diurna, más inquietud de la normal, en ocasiones, así como problemas de aprendizaje y, como resultado de todo ello, malestar en el resto de la familia. Del mismo modo, actividades que hasta la fecha llevaban a cabo sin problemas, como el dormir en casa de algún familiar o amigo o ir de colonias, dejan de realizarlas por causa de la inseguridad que ellos mismos tienen respecto a su sueño.

En la mayoría de los niños, sobre todo en aquellos que presentan dificultades con el sueño, el momento más difícil del día es la hora de acostarse. Es muy común que se resistan a ir a la cama aduciendo cualquier motivo, bien porque quieren estar más rato con los padres o mirar la televisión, bien porque desean jugar con la consola o tienen miedo a no dormirse por sí solos. Por ello es importante tener claramente establecida la hora de acostarse y, si están realizando alguna actividad, avisarles con el tiempo necesario para que puedan acabarla y empezar las rutinas previas al acto de acostarse.

Con tales precauciones, empiezan a preparar su mente para una actividad relajada que les llevará a conciliar el sueño sin problemas. Esta tarea no es fácil, y cuando la intentemos debemos tener en cuenta las consecuencias negativas que se derivarán para el niño si no duerme las horas necesarias.

A partir de los cuatro años los niños están capacitados para entender las explicaciones y recomendaciones que les damos, la importancia que tiene el sueño para el organismo y cómo regenera las energías gastadas durante el día. Además, los adultos sabemos que la secreción de la hormona de crecimiento se produce cuando el niño duerme. En definitiva, dormir proporciona equilibrio psíquico y físico al niño y también a los padres, que van a poder descansar durante la noche si su hijo lo hace también de forma adecuada.

¿Qué podemos hacer si nuestro hijo se resiste a dormir solo o se despierta por la noche?

En primer lugar, hay que comprobar si los horarios son o no los apropiados para facilitar su sueño. Recuérdese que la mejor hora para acostarlo oscila entre las 20.30 y las 21.00 horas. Debe recordarse también qué conductas previas realizamos al inicio del sueño (siempre han de ser relajadas para facilitar su aparición sin dificultades) y, por último, comprobar qué factores externos pueden influir negativamente para conciliarlo (luz, ruido, temperatura, etcétera)

Por otro lado, debemos potenciar la comunicación e indagar si hay algún hecho que preocupe o angustie al niño (separación de los padres, muerte de algún familiar cercano, cambio de domicilio, problemas en la escuela), con el fin de solventarlo y mostrarle que estamos a su lado dándole la confianza que necesita.

Es importante ofrecer a los niños seguridad y confianza, evitando que se sientan avergonzados o angustiados. Los padres desempeñan un papel importante en este aspecto. Cuando se enseña un hábito deberían evitarse los castigos, y así se impedirá que surjan sentimientos de frustración y culpabilidad.

Como estrategia, elaboraremos conjuntamente con el niño un calendario al que llamaremos «calendario del sueño», y en el que, a través de algún dibujo o calcomanía, se indicarán los logros conseguidos cada noche. Por ejemplo, acostarse sin protestas, no acudir a la habitación de los padres, no reclamar constantemente la presencia de un adulto, etcétera. Estos logros actuarán como refuerzos positivos que, con posterioridad, podrán canjearse por un premio.

Es importante reforzar cualquier pequeño avance que haga el niño y dedicarle toda clase de elogios. De esta manera se sentirá más seguro y motivado para seguir cumplimentando el calendario, y se favorecerá el logro del objetivo de dormir toda la noche de un tirón con la satisfacción que le proporcionará haberlo conseguido.

Pautas para facilitar el descanso

- Ajustar los horarios de acostarse y levantarse en función de la edad del niño.
- Hacer siempre las mismas rutinas previas a la hora de acostarse.
- Dedicar un tiempo a la comunicación con nuestro hijo antes de despedir el día, siempre con una actitud relajada.
- No sobrecargar al niño con actividades extraescolares que, en ocasiones, provocan tanta excitación que perjudican su sueño.
- Evitar que tome excitantes (colas, chocolates...).
- Establecer acuerdos previos. La cama de los padres no es negociable.

Paula G. tiene dos años de edad. Es fruto del segundo matrimonio de la madre, y tiene otros dos hermanos, ya adolescentes. Sus padres consultan porque, desde que nació, nunca ha dormido una noche seguida. Duerme en la habitación de los padres, a pesar de que dispone de su propia habitación.
Normalmente, por la noche se duerme (entre las 21 y 23 horas) en el sofá, encima de la madre y mirando la televisión. Es entonces cuando la

llevan a la cuna. Por la noche se despierta en varias ocasiones y la ponen a dormir en la cama de los padres. El día que se ha dormido más tarde, o se ha despertado muchas veces por la noche, la dejan dormir más por la mañana y no va a la guardería. No hace la siesta, aunque en ocasiones se queda dormida en el sofá. En la guardería duerme una hora y media sin problemas.

Paula es una niña sana sin enfermedades, según la exploración del pediatra. No obstante, no dormir adecuadamente le hace estar más irritable durante el día, tiene gran dependencia de la madre y presenta dificultades con la alimentación, sobre todo en casa.

A la hora de prescribir el tratamiento, explicamos a los padres todo lo relacionado con el sueño de forma sencilla y sin conflictos, ya que para el desarrollo psicológico de la niña y la adquisición de hábitos saludables, es necesaria e indispensable la ayuda de los padres.

Les dimos pautas sobre horarios del día y la noche e indicaciones sobre cuáles tenían que ser las referencias para cada hábito. Todo ello debía transmitirse con afectividad, ya que es el eje principal de la seguridad del niño, muy necesaria para su crecimiento. Se escogió un objeto (muñeco, pañuelo...) que sirviera como intermediario cuando tuviera que separarse de los padres,

en este caso para ir a dormir. Ello le ayudó a no sentirse sola y a poder conciliar el sueño, pues era como si se llevara consigo un pedacito de ellos.
Repetir siempre las mismas actividades y rutinas ayudó a crear un entorno de seguridad. Se dio pautas a los padres para potenciar los momentos antes de acostarse: despedirse de sus hermanos, sus juguetes, explicarle un cuento, etcétera. La seguridad y las referencias claras que los padres supieron dar ayudaron a Paula a aprender a dormir sola y en su habitación.

Alteraciones del sueño: parasomnias

Las parasomnias son manifestaciones de naturaleza conductual y/o vegetativa que aparecen durante el sueño. En general son benignas, y aparecen sobre todo en la infancia y la adolescencia. Con el tiempo tienden a disminuir en intensidad, e incluso a desaparecer espontáneamente. No obstante, en algunos casos pueden persistir en la edad adulta.

El diagnóstico se realiza fundamentalmente a través la historia que narra el resto de la familia.

Su clasificación se realiza según la fase del sueño en que aparecen. Las más importantes por su frecuencia de aparición son:

- Sonambulismo.
- Terrores nocturnos.
- Rechinar de dientes (bruxismo).
- Hablar durante el sueño (somniloquia).
- Movimientos de automecimiento.

Sonambulismo

Se caracteriza por el acto de caminar de forma involuntaria durante el sueño, sin ser consciente de ello. Suele iniciarse a partir de los cuatro años y, generalmente, desaparece en la pubertad. Se estima que su prevalencia oscila alrededor del 15%, y no existen diferencias significativas según el sexo.

Cuando se presenta un episodio de este tipo lo indicado es acompañar al niño de nuevo a la cama para que siga durmiendo. También conviene no despertarlo, ya que en ese momento está profundamente dormido.

Características del sonambulismo

- El niño se levanta en plena noche y camina sin objetivo (puede tener los ojos abiertos, pero la mirada está perdida).
- Aparece durante las fases de sueño profundo (fases 3 y 4).
- El episodio suele durar entre tres y cinco minutos.

- No recuerda lo sucedido al día siguiente.
- El factor genético juega un papel importante, (en el 25% de los casos el padre o la madre experimentaron episodios similares durante la infancia).
- Episodios febriles o de estrés pueden favorecer su aparición.
- Puede ir acompañado de somniloquia.
- No siempre es necesario el tratamiento. Son útiles las medidas preventivas: proteger los cantos de los muebles, usar barandillas, obstaculizar la apertura de ventanas y puertas...
- Cuando los episodios son muy frecuentes, la psicoterapia puede ser beneficiosa.

Terrores nocturnos

Son episodios de temor que se manifiestan con gritos y agitación y pueden ir acompañados de episodios de sonambulismo. Suelen iniciarse a partir de los tres años y tienden a desaparecer en la pubertad. Su prevalencia oscila alrededor del 6%, coincidiendo con el período preescolar. Es más frecuente en los niños que en las niñas.

Características de los terrores nocturnos

- Los episodios aparecen a las dos o tres horas de estar dormido.
- Ocurren en las fases de sueño profundo (fases 3 y 4).
- El episodio tiende a durar entre uno y diez minutos.
- Al día siguiente no se recuerda lo sucedido.
- El niño suele sentarse en la cama, se muestra agitado y con ansiedad intensa. El episodio puede ir acompañado de manifestaciones neurovegetativas (taquicardia, sudoración...).
- Son fenómenos esporádicos que se resuelven de forma espontánea.
- No requieren un tratamiento específico.

Bruxismo o rechinar de dientes nocturno

El bruxismo consiste en el acto de apretar y rechinar los dientes durante el sueño. Es un suceso inconsciente producido por los músculos de la masticación, que ocasiona un ruido desagradable. También puede ocurrir en el período de vigilia.

Normalmente tiene lugar durante el período de sueño más superficial y cesa en los períodos de sueño más profundo.

Suele surgir entre los cuatro y seis años y desaparece con el paso de los años. Esta parasomnia puede ocasionar desgaste y deterioro dental, además de enfermedades en las encías.

Se desconocen las causas que lo ocasionan. No obstante, en períodos de ansiedad y estrés se intensifica. Además, puede producir dolor de cabeza y de los músculos de la región bucal.

Características del bruxismo

- Suele ocurrir durante el sueño superficial (también durante la vigilia, sueño profundo y REM).
- Aparece entre los cuatro y seis años.
- Produce desgaste y deterioro dental.
- Se intensifica en períodos de ansiedad y estrés (las técnicas de relajación muscular pueden ser beneficiosas).
- Es conveniente la utilización de protectores dentales (accesorios de goma especiales) como prevención del daño que ocasiona a los dientes.

Somniloquia

Es una parasomnia frecuente en los niños, que se manifiesta por medio de un modo de hablar incoherente durante el sueño, sin que el sujeto sea consciente de ello. En ocasiones las palabras llegan a ser comprensibles para la persona que las oye. Además, puede manifestarse con acompañamiento de gritos, lloros o risas.

Puede producirse en cualquier fase del sueño. Por lo general, coincide con el inicio de la asistencia a la guardería o escuela. Los procesos febriles o de estrés favorecen la somniloquia.

Su eliminación no requiere ningún tratamiento específico.

Movimientos de automecimiento

Se trata de una parasomnia que se produce esencialmente durante el adormecimiento, es decir, en el momento de conciliar el sueño. La edad de inicio suele ser hacia los ocho o nueve meses, con tendencia a desaparecer alrededor de los tres años.

Consiste en movimientos, generalmente de la cabeza (lo más frecuente son golpes sobre la almohada) o de todo el cuerpo, cuando el niño está boca abajo. La sensación es que el niño los realiza para relajarse y conseguir quedarse dormido. Estos movimientos suelen seguir un ritmo y es muy común que se acompañen de sonidos guturales. Ante la presencia de un adulto, el niño acostumbra a interrumpir el ritual, que vuelve a iniciar cuando está solo y en los despertares nocturnos.

Los movimientos suelen asustar a los padres por su

espectacularidad, ya que pueden provocar mucho ruido, llegando incluso a desplazar la cuna.

Su diagnóstico se realiza por medio de la historia clínica y de las explicaciones que nos dan los padres. Hay que diferenciarlos de otros movimientos que aparecen en vigilia y que puedan asociarse a otro tipo de trastorno.

Estos movimientos no tienen consecuencias ni un tratamiento específico. Es conveniente que tomemos medidas preventivas para que nuestro hijo no se haga ninguna lesión:

- Bloquear la cuna para evitar los desplazamientos o los golpes contra la pared.
- Proteger el interior de la cuna con espuma, almohadas o protectores, con el fin de evitar que el niño se golpee contra los barrotes.

Javier M., estudiante de diecisiete años de edad. El motivo de consulta es que, durante la noche, cuando está durmiendo, grita, y en ocasiones se levanta de la cama y deambula por la casa, sucesos de los que no recuerda nada al día siguiente. Sus padres comentan que tras la noche en la que ha habido episodios de este tipo le cuesta más levantarse por la mañana y lo notan más cansado.

Hasta hace un año, tales episodios eran muy esporádicos, pero actualmente aparecen cuatro o cinco días por semana, sobre todo en época de exámenes.
Las exploraciones físicas y psicológicas que se le practican están dentro de la normalidad. Javier es nervioso, aunque no lo aparenta, responsable y de carácter sufridor.
Se le recomiendan técnicas de relajación, valeriana durante el día, cuando está de exámenes, y ayuda externa para aquellas asignaturas cuya comprensión le cuesta un mayor esfuerzo, unido a preocupación y nerviosismo. Se le prohíbe tomar colas (lo hacía habitualmente con las comidas), lo que ha ido mejorando considerablemente sus noches.

El sueño de los adolescentes

La adolescencia es la época de la vida que marca la transición entre la infancia y el estado adulto. Es una etapa en la que el adolescente necesita afirmarse para encontrarse a sí mismo.

Dormir poco o menos de lo que necesitan, acostarse tarde o quedarse dormidos por las mañanas son algunas de las características de los patrones de sueño durante esta etapa, en la que, por otro lado, los jóvenes necesitan dormir muchas horas.

La mayoría de los adolescentes deberían dormir alrededor de nueve horas cada noche, pero esta necesidad la satisfacen muy pocos. Sabemos que la falta de sueño repercute negativamente sobre todos los aspectos de su vida, lo que se traduce en una disminución de la capacidad de atención, así como en alteraciones del estado de ánimo. Pueden, por ejemplo, quedarse dormidos en clase y, como consecuencia, producirse una disminución de su rendimiento académico. Esta falta de sueño también la podemos relacionar con problemas emocionales, como la tristeza, que los vuelve más irritables, sobre todo a primeras horas de la mañana. En estos casos el origen podemos situarlo en la falta de sueño y de descanso nocturnos.

Pero todo lo anterior no debe achacarse a la vagancia o al hecho de ser unos noctámbulos, sino que también es protagonista e interviene el ya citado «reloj biológico». A diferencia de lo que sucede con niños y adultos, el ritmo biológico tiende a estar más retrasado en los adolescentes, es decir, que les indica que se vayan a dormir más tarde y, por tanto, que se levanten también más tarde. Parece ser, según las investigaciones realizadas, que la producción de melatonina (hormona que regula el patrón de sueño-vigilia) en la etapa de la adolescencia empieza a segregarse más tarde.

¿Qué indicadores pueden mostrar un déficit de sueño?

- Se acuestan más tarde que el resto de la familia.
- Tienen grandes dificultades para levantarse por la mañana.
- Suelen faltar a las primeras horas de clase.
- Ven disminuir el rendimiento académico.
- Les cuesta concentrarse.
- Están más tristes e irritables.
- Se quedan dormidos en clase.

Consejos para favorecer un buen sueño a los adolescentes

- Establecer un patrón de sueño regular (acostarse y levantarse a la misma hora cada día).
- Evitar estimulantes como café y colas. La nicotina también lo es. El alcohol provoca despertares nocturnos y favorece la mala calidad del sueño.
- No hacer siestas demasiado largas (máximo veinte minutos).
- Adecuar el ambiente de la habitación.
- Reducir la intensidad de la luz antes de ir a dormir: de esta manera indicamos al cerebro nuestra preparación.
- No realizar ejercicio físico intenso antes de acostarse. Es mejor hacerlo a media tarde, ya que favorece nuestro sueño.
- Antes de acostarse es conveniente realizar actividades relajantes.

Síndrome de fase retrasada del sueño

El síndrome de fase retrasada del sueño es un trastorno que en ocasiones se confunde con el insomnio. Aparece con cierta frecuencia entre los adolescentes, si bien también pueden padecerlo algunos adultos. Se caracteriza por la dificultad para conciliar el sueño hasta altas horas de la madrugada, y por la consiguiente presencia de dificultades para despertarse por la mañana a la hora deseada.

Por regla general, las personas que padecen esta patología se duermen cada día sobre la misma hora (no antes de las 3 o 4 de la madrugada), a pesar de que se vayan antes a la cama. Si pueden completar su ciclo de sueño, es decir, dormir las horas que necesitan (ocho o nueve horas), se despiertan con la sensación de haber tenido un sueño reparador, y pueden afrontar «su día» con total normalidad. El problema lo tienen cuando, por necesidades laborales o académicas, tienen que levantarse a las 7 u 8 de la mañana, o sea, cuatro o cinco horas después de haber conciliado el sueño. Pueden tolerar esta situación unos días, pero al final tienen graves problemas para levantarse, por lo que, o llegan tarde, o bien no pueden cumplir adecuadamente con sus obligaciones diurnas.

Este hecho parece ser que ocurre por la predisposición del reloj biológico de muchos adolescentes a conciliar el sueño a una hora más tardía que en el caso de los niños y adultos. Su horario está desfasado si lo comparamos con el del resto de la población, y si no duermen las horas necesarias padecerán somnolencia, sobre todo por la mañana, bajo rendimiento e irritabilidad.

Para establecer el diagnóstico es necesario preparar una agenda de sueño, que informará del perfil del sueño del sujeto. En ella se registrará la hora en que se apaga la luz, el tiempo que se tarda en conciliar el sueño, la hora del despertar, la calidad del sueño y el bienestar durante el día.

Esta información se complementará con la historia clínica.

Características del síndrome de fase retrasada del sueño

- Dormirse y despertarse a horas no deseadas ni apropiadas.
- Gran dificultad para levantarse a la hora deseada por las mañanas.
- Ausencia de dificultades para mantenerse dormido, una vez conciliado el sueño.
- La hora de quedarse dormido se produce de madrugada.

Tratamiento del síndrome de fase retrasada del sueño

Cronoterapia: consiste en instruir al sujeto diagnosticado de síndrome de fase retrasada del sueño para que cada día se acueste tres horas más tarde que el día anterior. Para ello, la organización del día debe seguir el desplazamiento del horario del sueño, teniendo en cuenta los períodos de exposición a la luz y las horas de las comidas.

Así, por ejemplo, si una persona está en el segundo día de tratamiento y le toca acostarse a las 5 de la madrugada, su hora de levantarse deberá ser siete u ocho horas más tarde, y, por lo tanto, la del desayuno será a las 14 horas, y la de la comida a las 19 horas.

Terapia lumínica: el tratamiento mediante la luz desempeña un importante papel en la sincronización del ritmo circadiano sueño-vigilia. Como ya hemos mencionado, la oscuridad favorece la producción de melatonina (hormona del sueño), mientras que la luz inhibe su producción. A aquellas personas que padecen fase retrasada del sueño se les recomienda, durante el tratamiento, estar expuestas a la luz natural (persianas y cortinas abiertas para que entre la luz) cuando tienen que permanecer despiertas durante el día, y así evitamos que el cerebro produzca melatonina. Cuando han de permanecer despiertas durante la noche deben estar en una habitación con el máximo de luz posible (tener encendidas varias lámparas en la habitación). Una vez que coincide el horario de sueño habitual y el deseado (de las 23 horas a las 7 horas de la mañana), dormiremos totalmente a oscuras para que la melatonina pueda ejercer su función de adormecimiento y mantenimiento del sueño.

Una vez acabado el tratamiento, es necesario un tiempo de estabilización, con un estricto cumplimiento de los horarios durante un mínimo de tres semanas, es decir, acostarnos cada día a la misma hora, sobre las 23 horas y levantarnos siete u ocho horas después. Para ayudar a tal ajuste, algunos profesionales de la medicina del sueño recomiendan la toma de melatonina por la tarde/noche en dosis de cinco miligramos al día, entre tres y cuatro horas antes de iniciar el sueño Una vez alcanzado el horario deseado, debe procederse a su retirada.

Recomendaciones de ayuda para el síndrome de fase retrasada del sueño

- Preparar y cumplimentar agenda de sueño para conocer el perfil de sueño del sujeto.
- Cronoterapia.
- Terapia lumínica.
- Tratamiento farmacológico con melatonina.
- Apoyo psicológico para beneficiar la efectividad del tratamiento.

Pablo D. es un adolescente de 16 años de edad que cursa por segundo año consecutivo, 4° de ESO. Acude a consulta por presentar, desde hace más de un año, dificultad para levantarse por las mañanas y bajo rendimiento escolar (hasta entonces siempre había resuelto sus estudios con éxito).

El problema se origina después de unas vacaciones de verano durante las que retrasó considerablemente la hora de acostarse y, por lo tanto, también la de levantarse. Al empezar el curso escolar no pudo regular sus horarios y no conseguía dormirse antes de las 4 de la madrugada. Como consecuencia, tenía serios problemas para levantarse a las 7.30 para acudir al colegio. Ya en el primer trimestre, empezó a faltar a las primeras horas de clase, e incluso durante todo el día. El resultado fue que obtuvo malas notas, lo que le condujo a la repetición de curso, al cambio de colegio y a sufrir un sentimiento de frustración.

Al empezar el nuevo curso escolar, continuó con las dificultades para conciliar el sueño, por lo que las horas nocturnas las dedicaba al ordenador o a escuchar música. Ello le provocó baja autoestima, unida a un sentimiento de inseguridad. Como medio de resolver esta situación, intentó ir antes a la cama, tal y como le aconsejaban sus padres, tomar infusiones y hacer ejercicio antes de acostarse para provocar el cansancio... Todo ello sin resultados.

La exploración física y psíquica de Pablo aportaba constantes que estaban dentro de la normalidad. Se le practicó una polisomnografía. El resultado fue que estaba en posesión de una buena estructura de sueño, sin acontecimientos que interfirieran en el mismo (apneas, mioclonías, etcétera) Se apreció, sin embargo, desplazamiento y retraso del episodio de sueño con relación al horario.

Se le recomendó como tratamiento cronoterapia, terapia lumínica y melatonina (tres miligramos). A partir de entonces Pablo recuperó su seguridad, consigue dormir a la hora deseada y levantarse para cumplir sus obligaciones diarias con éxito.

Puntos clave:

- A lo largo de la vida, el proceso del sueño evoluciona y se adapta a las necesidades del ser humano.
- El control del sueño y la vigilia vienen determinados por un «reloj biológico» que marca unos patrones de veinticuatro horas en el adulto y de tres o cuatro horas en el recién nacido.
- Para favorecer el sueño en el niño, es primordial crear unas rutinas en torno a su sueño, que deberán ser siempre las mismas.
- Las parasomnias son manifestaciones de naturaleza conductual y/o vegetativa que aparecen durante el sueño. En general, son benignas.
- El síndrome de fase retrasada de sueño es un trastorno que aparece con cierta frecuencia entre los adolescentes. Se caracteriza por la dificultad para conciliar el sueño hasta altas horas de la madrugada, y por la consiguiente presencia de dificultades para despertarse por la mañana a la hora deseada.

5. El sueño en edades avanzadas

Las alteraciones del sueño y los consiguientes efectos negativos sobre la calidad de vida son frecuentes en muchos ancianos.

Sabemos que, a medida que se envejece, se producen cambios en el ritmo circadiano o reloj biológico. Se adelanta la necesidad de dormir, fenómeno conocido como fase adelantada del sueño. Es justo lo contrario de lo que ocurre con los adolescentes, cuya tendencia natural es el retraso de la necesidad de dormir. Ésta es la causa de que muchas personas mayores sientan sueño al final de la tarde, lo que las induce a acostarse alrededor de las 20 o 21 horas, y a despertarse de madrugada, con incapacidad de volver a dormirse. Realmente, han dormido seis o siete horas, pero con un sueño fragmentado y una distribución circadiana diferente.

Características más comunes del sueño de las personas mayores

- Disminución del tiempo total de sueño.
- Frecuentes despertares nocturnos.
- Despertar precoz, con dificultad para conciliar el sueño.
- Aumento del sueño más superficial.
- Disminución de las fases más profundas del sueño.

Así pues, con el envejecimiento se modifican los patrones y características del sueño, y disminuye el número de horas dedicadas al descanso. Por ello, en ocasiones, las personas mayores tienen somnolencia cuando están despiertas. ¿Cuántas veces hemos observado en un parque, en una sala de espera o en el sofá a una persona mayor dormitando? Son las mismas personas que, curiosamente, se quejan de padecer insomnio cuando quieren dormir. En realidad, estas personas suelen tener más dificultades para mantenerse dormidas durante varias horas seguidas que para la conciliación del sueño.

Por otra parte, no todas las personas mayores presentan alteraciones de sueño. A este respecto hay que decir que quienes las padecen pueden estar influenciados por otros factores. Entre ellos pueden citarse una mala higiene del sueño, cambios de conducta, tales como permanencia durante muchas horas en la cama, factores ambientales, actividad de algunos medicamentos utilizados para otras dolencias, problemas sociales, psicológicos y económicos; horarios de las comidas; ingesta de estimulantes (café, té, colas) y otros varios, entre los que se incluyen las enfermedades y el dolor.

Recomendaciones para el cuidado del sueño en las personas mayores.

- Mantenga horarios regulares, tanto para acostarse como para levantarse. No permanezca demasiadas horas en la cama.
- Realice ejercicio regularmente. Caminar ya es suficiente.
- Expóngase a la luz del sol durante el día.
- Evite la cafeína y los excitantes. Cuide la alimentación, no cene demasiado justo antes de acostarse.

- Reserve la cama únicamente para dormir. No mire la televisión ni realice actividades en la cama que no le ayuden a conciliar el sueño.
- No tome muchos líquidos antes de acostarse. De esta manera disminuirá los despertares nocturnos causados por la necesidad de ir al baño.
- Procure que el dormitorio esté a oscuras. Evite los ruidos y procure tener una temperatura adecuada y una cama cómoda.
- No se automedique. Consulte a su médico si su sueño no mejora o empeora.

Además del insomnio, cuando evaluamos los trastornos del sueño en las personas mayores, también hemos de tener en cuenta los problemas respiratorios durante el sueño, el síndrome de piernas inquietas y los movimientos periódicos de las piernas.

Síndrome de apnea obstructiva del sueño (SAOS)

Cuando existe una queja sobre la presencia simultánea de insomnio y ronquidos puede sospecharse la presencia del SAOS como causa del insomnio.

Estos pacientes tienen problemas de respiración, con episodios de apnea (parada respiratoria) mientras duermen. Es más frecuente en varones roncadores, con sobrepeso e hipertensos. Su sueño se caracteriza por la fragmentación, debida a estas paradas. La sensación es la de un sueño no reparador, a lo que se añade falta de concentración, cansancio, lentitud mental y somnolencia diurna.

Las personas mayores que tienen esta patología presentan un mayor riesgo de padecer dolencias cardíacas o cerebrovasculares. Por ello, cuando familiares, personas cercanas o la propia persona afectada detecta uno o varios de los síntomas mencionados, es conveniente que consulte con su médico de cabecera, con el fin de que pueda explorarla y aplicar el tratamiento adecuado.

En ocasiones, además de una exploración física, necesaria para poder realizar un diagnóstico correcto es preciso valorar la realización de una polisomnografía nocturna (estudio o registro de las diferentes variables fisiológicas durante el sueño), lo que conducirá a establecer un tratamiento, ya sea la recomendación de perder peso, si es ésta la principal causa, ya sea la utilización del CPAP, un aparato de presión continua positiva sobre las vías respiratorias.

Síndrome de piernas inquietas

Esta patología se caracteriza por la necesidad irresistible de mover las piernas para aliviar, parcial o totalmente, una sensación muy molesta y desagradable de hormigueo, inquietud o picor, según manifiestan las personas que la padecen. Su aparición coincide con la llegada de la noche y en situación de reposo, ya sea en un sofá, en el cine, el teatro...

Los síntomas pueden aparecer en cualquier momento de la vida, pero la mayoría de las personas que los sufren son de edad mediana o avanzada. Su severidad parece aumentar con la edad y, por tanto, son las personas mayores quienes sufren los síntomas con mayor frecuencia y durante períodos de tiempo más largos, y suelen asociarlos a problemas de circulación, nerviosismo, problemas reumáticos o simplemente a la edad. Por eso en muchas ocasiones no los identifican como el origen de su problema de insomnio y no consultan a los profesionales.

Características

- Sensación irresistible de mover las piernas.
- Mejoría total o parcial con el movimiento.

No toda molestia o intranquilidad en las piernas es signo de la existencia de esta patología, por lo que es muy importante un diagnóstico correcto que lleve a un tratamiento adecuado.

A pesar de que todavía se sigue investigando sobre la causa o causas que provocan esta patología, las investigaciones ya realizadas han podido identificar algunas de ellas.

Causas
- Carácter hereditario de los síntomas.
- Anemia y bajo nivel de hierro en sangre.
- Asociación con enfermedades como la diabetes, la insuficiencia renal y la artritis reumatoide.

Tratamientos del síndrome de piernas inquietas
- Evitar la cafeína y las bebidas excitantes.
- Tomar suplementos de hierro.
- Disminuir el consumo de azúcar.
- Eliminar el tabaco.
- Tratamiento farmacológico (agonistas dopaminérgicos) prescrito siempre por un médico.

Además de las patologías mencionadas, el ciclo vigilia-sueño de las personas mayores puede verse alterado en cualquier momento por diferentes causas, entre las que podemos destacar todas las que provoquen dolor, las enfermedades cardio-respiratorias, las prostáticas (que originan despertares nocturnos por la necesidad de orinar). También pueden citarse enfermedades neurológicas, como las demencias, la enfermedad del parkinson, o de tipo psiquiátrico, como, por ejemplo, la depresión.

Hay que tener en cuenta, además, que el metabolismo de las personas mayores es más sensible que en el resto, por lo que siempre intentaremos reducir al máximo las bebidas estimulantes.

Asimismo, el uso de algunos fármacos también puede afectar al sueño de forma directa o a través de mecanismos farmacológicos indirectos.

Puntos clave:

- Con el envejecimiento se modifican los patrones de sueño, disminuyen las fases más profundas, hay frecuentes despertares nocturnos y una disminución del tiempo total de sueño.
- Además del insomnio, dentro de los trastornos del sueño en las personas mayores hemos de tener en cuenta los problemas respiratorios durante el sueño, el síndrome de piernas inquietas y los movimientos periódicos de las piernas.
- Una higiene de sueño adecuada y el control médico son esenciales para las personas mayores.

6. El sueño de los trabajadores por turnos

Existen empresas y servicios que han de desarrollar su actividad laboral las veinticuatro horas del día para atender las necesidades de la vida diaria, ya sea por los continuos cambios tecnológicos, las demandas asistenciales o la productividad. Para ello, el trabajo ha de ser organizado por sistemas de turnos.

En los horarios de trabajo nocturnos o en los horarios rotativos hay que alternar la actividad laboral y social fuera del ciclo normal vigilia-sueño. Sabemos que el ser humano es básicamente diurno, y que nuestro organismo está preparado para tener actividad durante el día y sueño durante la noche, y no para lo contrario. Por ello, los horarios y condiciones del trabajo tienen una repercusión directa sobre muchos aspectos de la vida diaria.

El sueño, además de servirnos para descansar, tiene otras funciones vitales para el organismo, entre ellas reparar los órganos y tejidos gastados durante el día, organizar funciones nerviosas superiores (memoria, aprendizaje...), liberar sustancias fundamentales para la vida. En definitiva, nos proporciona el descanso físico y psíquico.

La alternancia luz-oscuridad en las veinticuatro horas del día desempeña un papel determinante en el ciclo día-noche y vigilia-sueño, alternancia que influye en las funciones del cerebro y del organismo en general.

El número de horas trabajadas y su distribución nocturna pueden afectar a la calidad de vida en el trabajo y fuera de él. No obstante, la tolerancia y adaptación a estos horarios del trabajador nocturno o de turnos rotativos varía de una persona a otra. Hay que tener en cuenta la influencia de:

- La edad (las personas de mayor edad son más vulnerables).
- La facilidad para conciliar el sueño o historia de haber padecido alteraciones del sueño.
- La organización social y familiar fuera del horario laboral.
- La propia capacidad de superar la somnolencia.

Muchas de las quejas sobre problemas de salud que tienen los trabajadores por turnos están asociadas a la calidad del sueño. Por regla general, estas personas tienen dificultad para conciliar el sueño, ya que su cuerpo no se encuentra predispuesto para dormir. También pueden presentar un sueño con múltiples despertares, es decir, un sueño poco reparador, ya que, de hecho, duermen menos horas y de peor calidad que el trabajador diurno.

Otros factores que influyen en el sueño y lo perturban son la luz natural y el nivel de ruido. Sabemos, y es fácilmente comprobable, que durante el día la intensidad del ruido es mucho mayor que durante la noche, ya que nuestra sociedad está más preparada para proteger a los que duermen de noche. Como consecuencia, las personas que han de dormir durante el día tienen un descanso de peor calidad, con más interrupciones y con una disminución sensible del número total de horas de sueño que necesitan. Todo lo contrario ocurre durante la noche, el período de descanso para el que está preparado biológicamente nuestro organismo. No olvidemos que el ser humano es básicamente diurno.

Este déficit de sueño que acarrean los trabajadores nocturnos tiene repercusiones negativas en su estado de ánimo, en su vida social y familiar, al tiempo que existe una mayor probabilidad de disminución en su productividad, así como un mayor riesgo de accidentes laborales.

Asimismo, se han descrito afectaciones en otras áreas de la salud, como es el caso de alteraciones digestivas, debidas a veces a que las comidas son poco equilibradas y se llevan a cabo en horas en las que el organismo no esta habituado ni preparado. Otros problemas que pueden presentarse son cardiovasculares y psicológicos, con cambios en el estado anímico, que a veces se intentan remediar con abuso de alcohol, estimulantes y fármacos para dormir.

Afectación del trabajo por turnos

- **Salud:** mayor predisposición a sufrir alteraciones digestivas, cardíacas y psicológicas (cambios de humor, abuso de alcohol, cafeína y fármacos para dormir)
- **Sueño:** dificultades para conciliar el sueño, aumento de despertares, sueño poco reparador, disminución de la cantidad y calidad del sueño.

- **Social:** disminuye el tiempo y la dedicación a las relaciones sociales, familiares y *hobbies*. Existencia de mayor ruido y luz en las horas en las que se ha de dormir.
- **Laboral:** el cansancio y el déficit de horas dormidas provocan disminución de la productividad, aumento de los errores y riesgo de accidentes.
- **Equilibrio biológico:** el ser humano es un ser diurno. Nuestro organismo está preparado para tener actividad durante el día y sueño durante la noche.

A pesar de que no existe el horario perfecto, la realidad de la demanda actual de trabajo por sistema de turnos nos lleva a considerar la importancia de prevenir y mejorar todas aquellas áreas (vida social y familiar, sueño y trabajo) que puedan verse alteradas, en perjuicio de una buena calidad de vida.

Recomendaciones para el área de salud

- Si padece un trastorno médico, como asma, diabetes, epilepsia o problemas de salud mental deberá consultar con su médico antes de trabajar por turnos.
- Permítase el tiempo necesario para relajarse.
- Evite la cafeína, el tabaco, el alcohol y las pastillas para dormir.

- Coma productos de alto contenido en proteínas antes de trabajar. Y no tome comidas ricas en proteínas y grasas cinco o seis horas antes de acostarse. De esta manera, nos protegemos contra los problemas digestivos.

Recomendaciones para el área de sueño

- Debemos conocer las funciones del sueño:
  - Nos proporciona el descanso.
  - Repone las fuerzas empleadas en el trabajo.
  - Organiza las funciones superiores (aprendizaje, memoria y vida afectiva).
  - Repara órganos y tejidos gastados durante el día.
- El trabajador por turnos tiene más probabilidad que otros de padecer insomnio o somnolencia excesiva.
- El tiempo total de sueño es más reducido.
- El sueño REM también está disminuido.
- La percepción del trabajador es que tiene un sueño poco reparador y de mala calidad. Por todo ello, es útil proteger nuestro entorno para facilitar un buen descanso.

Recomendaciones para el área familiar y social

- Hay que tener presente que nuestra sociedad está organizada para los que trabajan de día y duermen de noche. Por ello, hay que cuidar muy bien nuestro entorno, de manera que nos facilite el descanso con la mayor calidad posible.

- Es importante mantener un horario de sueño regular. No debemos compensar nuestra falta de sueño durante los fines de semana o en los días libres.
- Ir a dormir lo antes posible tras salir del trabajo. De esta manera ayudamos a ajustar nuestro reloj biológico y disminuyen los despertares.
- Cuando salgamos de trabajar por la mañana es conveniente evitar la luz solar, para lo cual se recomienda utilizar gafas de sol.
- Dormir en la habitación más aislada y oscura de la casa. De esta manera nos protegeremos del ruido y de la luz. Asimismo, es recomendable el uso de tapones en los oídos y de antifaz.
- Desconectar el teléfono fijo, móvil y demás aparatos que puedan interrumpir nuestro sueño.
- Informar a la familia sobre la importancia del sueño. Ésta deberá conocer cuándo hay cambio de turno y cuándo se está descansando. Es conveniente utilizar señales externas que indiquen claramente a todos que se está durmiendo.
- Reestructurar las actividades, dejando tiempo para dedicar a la familia, hijos, amigos y aficiones.
- Establecer rutinas estables en las comidas. Realizar tres comidas al día y a horas regulares.

Recomendaciones para el área laboral

- Los cambios de turno deben hacerse en la dirección mañana-tarde-noche (es decir, para aquellas personas que han de cambiar su turno laboral, es más conveniente empezar por el turno de mañana, seguir con el turno de tarde y por último el turno de noche. De esta manera podemos acomodarnos mejor a nuestros ritmos internos).

- Es mejor realizar cambios de turno lentos para facilitar a nuestro organismo su recuperación. Por ejemplo, cambiar de turno cada dos semanas.
- Procurar trabajar con el máximo de luz posible. Evitaremos la aparición de somnolencia y ayudaremos a ajustar nuestro reloj biológico, indicándole que es hora de estar despierto y en alerta.
- Preparar el horario de turnos teniendo en cuenta los descansos y días libres. Por ejemplo, dejar días de descanso entre los cambios de turno.
- Dejar tiempo suficiente entre turnos que nos permita descansar, dormir y ocuparnos de la vida privada.
- No hacer horas extra cuando somos trabajadores por turnos.
- Establecer horarios de comida regulares.
- No abusar de la cafeína ni de otros estimulantes. Cuando se ingieran, debe hacerse al menos cinco o seis horas antes de acostarnos.
- Estar alerta cuando regresamos a casa, ya que nuestra capacidad de concentración y atención está disminuida. Es mejor hacerlo en transporte público o con otros compañeros.
- Hacer las tareas de mayor riesgo o más importantes a primeras horas, pues conforme pasa el tiempo aumentan nuestro cansancio y somnolencia.

Puntos clave:

- El ser humano es básicamente diurno. Cuando los horarios de trabajo son nocturnos o rotativos, hay que alternar la actividad laboral y social fuera del ciclo vigilia-sueño normal del resto de trabajadores.
- Los trabajadores nocturnos o por turnos tienen mayor predisposición a sufrir alteraciones digestivas, cardíacas y psicológicas.
- El uso de luz intensa cuando trabajamos por la noche, tener oscuridad absoluta cuando hay que dormir de día y la administración de melatonina pueden favorecer una mejora del sueño en las personas que trabajan de noche.

7. El sueño y el *jet lag*

Cuando en los viajes aéreos intercontinentales se pasa rápidamente de un huso horario a otro se desencadenan una serie de alteraciones biológicas conocidas como *jet lag*, término con el que se designa en inglés al «síndrome del cambio de franjas horarias».

La rapidez de los desplazamientos a grandes distancias somete al organismo a los efectos del desfase brusco entre su hora fisiológica, simultánea a la hora local del país de partida, y la hora del país de destino. Por tanto, si uno viaja a una franja horaria diferente de la que vive, se distorsiona el ritmo circadiano y pueden aparecer diferentes **síntomas**:

- Fatiga y cansancio general.
- Disminución de la memoria y el rendimiento.
- Problemas digestivos (vómitos, diarreas, estreñimiento).
- Rampas.

- Dolores de cabeza.
- Apatía.
- Somnolencia diurna.
- Trastornos del sueño: dificultad para iniciar o mantener el sueño.

Causas del jet lag

- Factores relacionados con la altitud del vuelo, que provoca una disminución del oxígeno y la presión atmosférica. También nos afectan las turbulencias, el ruido y las incomodidades. Por otro lado, hay que decir que no perturba a todas las personas de igual forma. Por ejemplo, afecta más a las personas mayores que a las más jóvenes.
- A mayor número de franjas horarias atravesadas, tenemos mayores probabilidades de presentar los síntomas mencionados. Por ejemplo, si viajamos de España a Londres, donde sólo hay una hora de diferencia con respecto a nuestro horario, el organismo no va a sufrir repercusión alguna. Si, en cambio, viajamos a Estados Unidos, donde la diferencia es de seis horas, hay mayor predisposición a presentar los síntomas mencionados anteriormente.
- La dificultad de adaptación de nuestros ritmos biológicos a los nuevos horarios. La velocidad de adaptación de los diferentes ritmos es variable.
- Volar hacia el este o el oeste: nuestro ritmo circadiano se confunde menos y tolera mejor si viajamos hacia el oeste (por ejemplo, cuando realizamos viajes a Norteamérica), ya que el ritmo interno tiene

una periodicidad mayor de veinticuatro horas, y por ello, si alargamos el día, la adaptación es más rápida. Sin embargo, si viajamos hacia el este (cuando regresamos de Estados Unidos a nuestro país o viajamos hacia los países asiáticos) lo hacemos en el sentido opuesto al reloj corporal, por lo que se incrementa la dificultad de adaptación.

Recomendaciones para combatir los efectos del jet lag

Antes y durante el viaje

- Evitar el consumo de alcohol y de bebidas estimulantes.
- Tomar mucho líquido: con ello evitamos la deshidratación que provocan las condiciones de vuelo.
- Estirar las piernas y los brazos para mejorar la circulación. Intentar pasear por el avión.
- Llevar ropa cómoda.
- Comer muchas veces y poca cantidad.

Dormir mejor durante el vuelo

- Cuando viajamos de este a oeste, se recomienda madrugar las dos noches antes de la salida, para facilitar la adaptación al lugar de destino.
- Una vez en el avión, intentar dormir de acuerdo con el horario que se espera a la llegada.
- Llevar tapones para los oídos y antifaz para los ojos (existen compañías aéreas que los facilitan).
- La melatonina puede facilitar el sueño durante el viaje.

Adaptación en el lugar de destino

- Salir a caminar y exponernos a la luz solar para ayudar a reprogramar nuestro reloj corporal.
- No dormir la siesta para evitar la falta de sueño a la hora de dormir.
- Tomar melatonina para aliviar los trastornos de sueño provocados por los desfases de horarios (siguiendo siempre las pautas de su médico).
- Intentar acomodarse lo antes posible a los nuevos estímulos externos: comidas, horarios de sueño, vida social.

Puntos clave:

- Cuando en los viajes aéreos intercontinentales se pasa rápidamente de un huso horario a otro se desencadenan una serie de alteraciones biológicas conocidas con el nombre de *jet lag*.
- Cuando realizamos viajes transoceánicos, la edad es uno de los factores que influye en la adaptación a los nuevos horarios.
- Nuestro ritmo circadiano se confunde menos y tolera mejor los viajes intercontinentales en dirección oeste.

8. Herramientas de diagnóstico

El insomnio es uno de los síntomas que más consultas genera en los médicos de familia. Afecta a un gran número de personas en algún momento de su vida. Para lograr un diagnóstico adecuado que nos lleve a determinar las causas por las que el paciente no duerme, se dispone de una serie de herramientas que expondremos brevemente a continuación.

Historia clínica

La historia clínica del paciente es la herramienta fundamental que el profesional deberá utilizar para poder llegar a un diagnóstico correcto y prescribir consiguientemente el tratamiento más adecuado.

La historia clínica nos permitirá tener toda la información subjetiva facilitada por el paciente y/o sus familiares. En ocasiones las personas que padecen de insomnio siguen apoyándose en estos datos subjetivos, hasta el punto de que una persona puede dormir más o menos de forma adecuada y, sin embargo, tener la sensación de que no concilia el sueño o de que no duerme en toda la noche. Es decir, la realidad es que esa persona duerme, pero no es consciente de que duerme.

También se deberán recoger todos aquellos datos objetivos de la exploración.

A tener en cuenta:

- Todos aquellos datos que se encuentren relacionados con el sueño y la vigilia del paciente:
  - Horarios de acostarse y levantarse.
  - Cuántas horas duerme cada noche.
  - Tiempo que tarda en dormirse.
  - Número de despertares nocturnos, si los hay.
  - Sensación de mal descanso cuando se levanta por la mañana.
  - Presencia de un estado de somnolencia durante el día.

- Si hace siestas, qué duración tienen.
- Dolor de cabeza.
- Despertares nocturnos con sensación de ahogo.
- Boca seca.
- Ronquidos.
- Irritabilidad.
- Sueño inquieto.
- Falta de concentración y memoria.
- ¿Da patadas cuando duerme?
- ¿Nota una sensación desagradable en las piernas, con necesidad de moverlas antes de iniciar el sueño?

• Historial de otras enfermedades que padezca o haya tenido.
• Existencia de algún tratamiento farmacológico que pueda estar interfiriendo en la calidad del sueño.
• Estilo de vida: si hace o no ejercicio con regularidad, si lleva una dieta equilibrada, si toma alcohol, tabaco, y si tiene otros hábitos que puedan ser significativos e interfieran en la calidad del sueño.

Con toda esta información podemos hacer una valoración y orientación diagnóstica que nos lleve a concluir, por ejemplo, si hay sospecha de:

• Síndrome de apnea obstructiva del sueño.
• Narcolepsia.
• Mioclonías nocturnas.

- Síndrome de piernas inquietas.
- Otros.

Pruebas diagnósticas

Polisomnografía nocturna

Es un estudio que se realiza en las unidades del sueño. Consiste en la colocación de unos pequeños electrodos, similares a los que se aplican cuando nos hacemos un electrocardiograma, que nos permiten valorar el sueño y establecer la representación gráfica de su arquitectura. Mediante esta prueba se realiza un registro continuo y simultáneo de las diferentes variables fisiológicas durante el sueño.

Para analizar la organización del sueño, la polisomnografía nocturna incluye:

- **Electroencefalograma (EEG)**: corresponde al registro de la actividad eléctrica espontánea del cerebro, y se lleva a cabo mediante los electrodos situados en el cuero cabelludo. Nos proporcionará la información necesaria sobre las diferentes fases del sueño y el adormecimiento.
- **Electromiograma (EMG)**: registro de la actividad eléctrica muscular espontánea, que es captada por medio de electrodos superficiales. En la polisomnografía del sueño, el EMG de los músculos de la región del borde del mentón constituye un parámetro que nos permite distinguir la presencia de la fase de sueño REM. Según la patología que se

sospeche, se registra también la actividad de los músculos tibiales anteriores.

- **Electroculograma (EOG)**: se trata de un registro que nos permite la detección de los movimientos oculares rápidos, indispensable para identificar el sueño REM.
- **Electrocardiograma (ECG)**: nos informará del ritmo cardíaco y de si se producen taquicardias y bradicardias mientras la persona está durmiendo.
- **Registro nasal y oral del flujo de aire**.
- **Cintas torácicas y abdominales** para registrar los movimientos respiratorios.
- **Oximetría**: mediante una pinza colocada en el dedo, se tendrá información sobre la saturación de oxígeno del paciente.

Una vez analizados todos los datos que nos proporciona la polisomnografía, tendremos información sobre el sueño que ha tenido esa noche una persona:

- Tiempo total de sueño: horas reales que ha dormido el paciente.
- Tanto por ciento de fase 1, fase 2 y fases 3 y 4.
- Tanto por ciento de sueño REM.
- Tiempo que ha permanecido despierto.
- Latencia de sueño (tiempo que ha tardado en conciliar el sueño).
- Latencia, es decir, tiempo que tarda el paciente en entrar en las fases 3 y 4.
- Latencia del sueño REM.

- Si ha tenido paradas respiratorias, y cuántas por hora de sueño.
- Si ha sacudido las piernas, y el cálculo del número de sacudidas por hora de sueño.

Test de latencias múltiples

Mediante esta prueba poligráfica podemos cuantificar objetivamente el grado de somnolencia diurna que experimenta una persona, es decir, medir el tiempo que tarda en quedarse dormida en diferentes momentos del día.

Se lleva a cabo durante el día, mediante el mismo procedimiento que cuando hacemos un estudio de sueño nocturno, después de haber pasado la noche sometido a una polisomnografía nocturna. Consiste en determinar la velocidad del adormecimiento cada dos horas. La prueba incluye cinco siestas de veinte minutos cada una.

Las personas que presentan somnolencia diurna severa se quedarán dormidas rápidamente si las comparamos con la población que no presenta somnolencia.

Esta prueba nos ayudará en el diagnóstico de narcolepsia y de SAOS.

Actimetría

Es la medición de la activad motora, generalmente en condiciones ambulatorias. Esta técnica nos proporciona información sobre las fases de reposo y actividad, y nos permite estudiar durante varios días los trastornos del ritmo vigilia-sueño, la hiperactividad del niño, los movimientos periódicos de las piernas y el insomnio.

Para su realización es necesario un aparato del tamaño de un reloj de pulsera, llamado actímetro, que se coloca habitualmente en la muñeca de la mano no dominante. El registro que se realiza ofrece indicaciones sobre la cronología y la duración de los episodios de sueño. Es conveniente comparar la información con la de la agenda del sueño de la persona que estamos estudiando, para una posterior valoración, tanto de las percepciones subjetivas que tiene la persona como de los datos objetivos que nos proporciona el actímetro.

Cuestionarios de somnolencia

Son pruebas subjetivas que nos proporcionan información sobre la vigilia de la persona que estamos estudiando. Una de las escalas más utilizadas es la llamada escala de somnolencia de Epworth, compuesta por un cuestionario cumplimentado por el propio sujeto que nos permite apreciar el nivel de somnolencia diurna. El paciente valora su estado de vigilia entre 0 y 3 (0= muy despierto; 3= muy somnoliento) en ocho situaciones de la vida cotidiana. Según la puntuación podremos valorar si existen o no trastornos importantes de la vigilia.

Situación	Puntuación
Sentado y leyendo.	
Viendo la televisión.	
Sentado, inactivo en un lugar público (por ejemplo, cine, teatro, conferencia, etcétera).	
Como pasajero de un coche en un viaje de 1 hora.	
Estirado a media tarde.	
Sentado y hablando con otra persona.	
Sentado después de una comida sin alcohol.	
En un coche, parado unos minutos a causa del tránsito (por ejemplo, semáforos, retenciones, etcétera).	

Responda según su experiencia en situaciones como éstas o parecidas y elija la cifra más adecuada.

0: Nunca tengo sueño o la probabilidad es muy baja.
1: Ligera probabilidad de dormirme.
2: Moderada probabilidad de dormirme.
3: Alta probabilidad de dormirme.

Interpretación de la puntuación total obtenida

Entre 0 y 6: no tiene somnolencia. Está dentro de los límites de normalidad.

Entre 7 y 13: tiene somnolencia diurna de grado leve.

Entre 14 y 19: tiene somnolencia diurna de grado moderado. Consulte a su médico.

Tabla 8.1. *Escala de somnolencia de Epworth.*

Otra de las escalas utilizadas en las unidades del sueño es la que se conoce con el nombre de escala de somnolencia Standford. Es un cuestionario con ocho afirmaciones que cumplimenta cada quince minutos el propio individuo. Cada afirmación corresponde a un estado de vigilia comprendido entre 1 y 8 (1= muy despierto; 8= muy dormido). Esta escala suele utilizarse después de situaciones agudas de privación de sueño.

Agenda o diario del sueño

Mediante esta agenda podemos llevar a cabo una valoración subjetiva de los períodos de vigilia y de sueño. Nos proporciona información importante sobre las costumbres de vida de la persona, y permite, además, que ésta tome conciencia de hábitos y costumbres a los que hasta ahora no había prestado atención, lo que conlleva una participación activa por parte del sujeto. Una vez identificados, podrá valorar los hábitos que no son favorables para mejorar el sueño y, en la medida de lo posible, modificarlos.

NOMBRE:
Registro:

Cada mañana:

1. Rellene la fecha.
2. Marque con una flecha hacia abajo la hora de ir a la cama.
3. Sombrear las casillas que correspondan a las horas dormidas.
4. Indique todos los despertares con una D en la casilla correspondiente y deje en blanco las casillas de las horas en que ha permanecido despierto.
5. Marque con una flecha hacia arriba la hora en que se levantó.
6. Marque las siestas que realizó durante el día.
7. Anote al final de cada día aquellos acontecimientos que considere importantes que han ocurrido durante la noche o el día.

FECHA	22h	23h	24h	1h	2h	3h	4h	5h	6h	7h	8h	9h	10h	11h	12h	13h	14h	15h	16h	17h	18h	19h	20h	21h

Tabla 8.2. *Diario de sueño.*

Es conveniente rellenar esta agenda durante un período de quince días, como mínimo. Con un primer vistazo, el profesional puede tener mayor información sobre el perfil de sueño de la persona que está en diagnóstico o tratamiento.

El sujeto deberá indicar con flechas las horas a las que se acuesta y se levanta, y sombrear las casillas que corresponden a las horas que supuestamente está durmiendo. Además, deberá indicar los despertares nocturnos con una D, y dejar en blanco las casillas cuando esta despierto. Además, es útil anotar los acontecimientos que considere importantes y que han ocurrido durante la noche o el día, cómo ha percibido la calidad de sueño, el tiempo que ha pasado en cama sin dormir, y la presencia de conductas que hayan interferido con el sueño. Todo ello proporciona una gran información para una finalidad terapéutica.

Estudios psicopatológicos

Puede sernos también de utilidad el conocimiento de la personalidad del individuo sometido a estudio que se obtiene a través de tests, de las escalas de evaluación de la ansiedad o la depresión y de la valoración de las variables de personalidad individual.

También es interesante conocer las diferencias que determinan los modelos de comportamiento, las interacciones de los diferentes estados de ánimo del individuo, sus actitudes, sus motivos y cómo responde ante diversas situaciones.

La personalidad está formada por características innatas más la acumulación de experiencias y acciones recíprocas entre el ser humano y su medio. Todas estas características dirigen su comportamiento en gran número de situaciones y se ponen de manifiesto cuando el individuo se relaciona con su entorno. Podemos concluir que la personalidad es un concepto de naturaleza multidimensional, con muchos elementos que interaccionan entre sí.

Los tests de personalidad más utilizados son:

- **Test de personalidad 16 PF-5 de R. B. Cattell**, con el cual se identifican los principales componentes de la personalidad a través del análisis factorial que describe la conducta humana.
- **Inventario multifásico de la personalidad Minnesota (MMPI)**. Es una de las pruebas psicológicas que más se utilizan en la práctica clínica, ya que permite obtener un perfil muy amplio de la personalidad que sirve como apoyo para el diagnóstico y tratamiento de los trastornos psicológicos.

Puntos clave:

- La historia clínica del paciente es la herramienta fundamental que tiene el profesional para poder llegar a un diagnóstico correcto y prescribir, consiguientemente, el tratamiento más adecuado.
- El insomnio es uno de los síntomas que más consultas genera en los médicos de familia. Afecta de forma crónica al 10%-15% de la población y casi la mitad lo ha sufrido en algún momento de su vida.
- Las mujeres suelen ser más propensas a sufrir insomnio que los hombres. Las fluctuaciones de los niveles hormonales del organismo femenino parecen ser una posible causa.
- La polisomnografía nocturna es un estudio que se realiza en las unidades del sueño. Consiste en la colocación de unos pequeños electrodos que nos permiten valorar el sueño y establecer la representación gráfica de su arquitectura.

9. Tratamiento no farmacológico del insomnio

Para abordar el tratamiento del insomnio es recomendable dar al sujeto información sobre el sueño y, concretamente, sobre el insomnio: por qué se produce, cuáles son sus causas, por qué se instaura en nuestras noches y cómo afecta, y por qué es más común en épocas de estrés.

Con frecuencia, los profesionales que nos dedicamos al estudio y tratamiento de los trastornos del sueño nos encontramos con un buen número de personas que padecen lo que llamamos «*insomnio aprendido o condicionado*», que aparece como consecuencia de un insomnio ocasional. Se trata de una dificultad para conciliar el sueño en la propia cama y a la hora deseada. Por el contrario, el sueño puede sobrevenir de forma inesperada cuando el individuo está leyendo en el sofá o viendo la televisión.

Este tipo de insomnio va acompañado de pensamientos negativos y preocupaciones, y suele anticiparse de forma angustiosa cuando llega la noche, sumándose a la alteración anímica que supone el desasosiego sobre las consecuencias que la ausencia de sueño producirá al día siguiente. Cuanto más se instalan estos pensamientos, más se aleja el sueño y más dificultad tenemos para conciliarlo. Esto explica por qué nos quedamos dormidos en el sofá. Y es que, simplemente, no nos estamos esforzando en que aparezca el sueño, y cuando aparece es como función automática que se desencadena asociada a factores como el momento del día, el cansancio tras toda una jornada de trabajo y el ambiente de relajación que tenemos en ese momento.

La presencia del insomnio puede llegar a precipitar problemas diversos como la depresión, la ansiedad, etcétera.

El sueño es, pues, un proceso involuntario, y cuando nos esforzamos demasiado en que aparezca, tenemos la percepción de que no vamos a poder conciliarlo y, en consecuencia, de que vamos a estar muy cansados al día siguiente. Todo ello implica una activación que impide que se den las condiciones de relajación necesarias para dormirnos, lo que nos conduce a mantenernos más despiertos.

Condiciones necesarias para mejorar nuestro sueño:
- Conseguir unas condiciones fisiológicas adecuadas. Normas de higiene.
- Tener un ambiente propicio para el sueño (cama, temperatura, ausencia de ruidos...).
- Lograr una preparación y relajación física y mental.

Nuestro objetivo es controlar los estímulos que nos rodean y nuestros pensamientos para que, cuando nos metamos en la cama para dormir, el sueño se desencadene por sí mismo.

Harvey estudió y clasificó los pensamientos que tiene una persona que está en la cama y no puede dormir. Veamos algunos de ellos:
- Resolución de los problemas diarios.
- Preocupaciones acerca de no dormirse.
- Los ruidos de la casa.
- Preocupaciones generales.

Otros estudios (Watts et al., 1994) plantean más pensamientos indiscretos que interfieren con el sueño, como son:

- Tópicos triviales.
- Pensamientos acerca del sueño.
- Asuntos de familia y a largo plazo.
- Planes y asuntos positivos.
- Preocupaciones somáticas.
- Trabajo y asuntos recientes.

Control de estímulos

Para combatir el miedo y las asociaciones negativas que surgen al llegar la hora de acostarnos, podemos utilizar la técnica de control de estímulos. Para ello, sólo nos acostaremos cuando tengamos sueño, no realizaremos actividades en la cama que no estén relacionadas con el hecho de dormir (por ejemplo: trabajar, mirar la televisión, comer, hablar por teléfono...) Si no conseguimos conciliar el sueño en un tiempo prudencial, hay que levantarse, salir de la habitación y realizar una actividad aburrida hasta que de nuevo aparezca el sueño. Entonces volveremos a la habitación a dormir. De esta manera intentamos asociar la cama y el dormitorio a la acción de dormir. Debemos seguir el mismo ritual cuantas veces sea necesario.

Por otro lado, para mantener el ritmo adecuado del ciclo sueño-vigilia, es conveniente no realizar siestas durante el día y levantarnos todos los días a la misma hora, independientemente del número de horas que hayamos dormido la noche anterior. Lo importante no es dormir la mayor cantidad posible de tiempo, sino asegurar una buena calidad de sueño para que éste cumpla su papel reparador.

Mediante estas técnicas cognitivas se pretende controlar y modificar los pensamientos negativos y ansiosos que aparecen relacionados con el sueño.

Intención paradójica

Otra de las técnicas que puede ayudarnos cuando la mente actúa de manera contraria a lo que se pretende, en este caso dormir, es la conocida con el nombre de intención paradójica. Cuando una persona padece de insomnio, tratar de conciliar el sueño voluntariamente le provoca una ansiedad que puede llevarla a mantenerse despierta toda la noche. Esta técnica consiste en prescribir a la persona que no se duerma, es decir, se le pedirá que intente pasar toda la noche en vela, en vez de esforzarse por conciliar el sueño. En la mayoría de los casos, este mandato se vuelve imposible, ya que llega un momento en que no podemos mantenernos despiertos, y nos dormimos, que es precisamente lo que se quiere conseguir.

Terapia cognitiva

Otro tipo de intervención psicológica es la terapia cognitiva, que consiste en examinar la influencia de los pensamientos en las emociones y las acciones del individuo. Los pensamientos o patrones de pensamiento tienen gran influencia en cómo nos sentimos y también en cómo nos comportamos. Por ello, la manera de pensar sobre un problema determinado, en este caso la incapacidad de dormir, puede aliviarlo o, por el contrario, empeorarlo.

Por regla general, las personas con insomnio suelen ser bastante ansiosas y con tendencia a preocuparse. Sus convicciones suelen ser rígidas. En ocasiones la falta de información disponible las lleva a tener expectativas no demasiado realistas sobre las horas que se deberían dormir y, como consecuencia, a tener alteraciones emocionales que contribuyen a perpetuar el problema del insomnio.

El objetivo de la terapia cognitiva es establecer una intervención sobre los pensamientos que están interfiriendo con el sueño, para modificarlos y sustituirlos por otros pensamientos más realistas y saludables. Hay que identificar los problemas que no son causados por el insomnio y reemplazar los pensamientos rígidos con respecto al insomnio por otros que sean más eficaces.

Si durante el día nos preocupamos constantemente acerca de lo mal que dormimos la noche anterior, lo más probable es que nos volvamos desconfiados y aumente nuestra preocupación cuando se acerca la hora de acostarnos.

Debe tenerse en cuenta que:

- El estrés y los pensamientos negativos pueden provocar una estimulación no adecuada en nuestro organismo.
- Al aumentar la tensión muscular se impide la relajación y, por tanto, la conciliación del sueño.
- Es conveniente aplicar regularmente alguna técnica de relajación, que se adecúe a las características personales del sujeto.

Técnicas de relajación

Al finalizar un día ajetreado la respiración y la relajación pueden sernos muy eficaces para recuperar la calma, tanto física como psicológica. Aprender a relajarse reducirá la sobreexcitación, sobre todo cuando los nervios llevan mensajes de preocupación en lugar de estímulos tranquilizadores.

En general, las técnicas de relajación están orientadas hacia el reposo, y son especialmente útiles en los trastornos del sueño por la facilidad con que inducen un reposo muscular y cognitivo intenso, que nos ayudará a dormirnos. Pero no sólo hay que practicarlas cuando nos acostamos, sino también en diferentes momentos del día, ya que, como hemos comentado, controlar la tensión diaria va a facilitarnos la preparación para conseguir conciliar el sueño.

Los ejercicios respiratorios apropiados son uno de los sistemas fisiológicos más fáciles de controlar.

Aprender a hacer una respiración profunda, lenta y completa, nos suele proporcionar una respuesta positiva de relajación.

Partiendo del supuesto de que no puede existir una mente ansiógena o generadora de ansiedad dentro de un cuerpo relajado, Jacobson nos enseña a relajar la musculatura voluntaria como medio de alcanzar un estado de calma interior.

La relajación progresiva de Jacobson consiste en la práctica de una serie de ejercicios que se inician con la tensión voluntaria de un grupo específico de músculos. Esta tensión ha de mantenerse durante siete o diez segundos antes de volver a la posición de distensión y percibir ese estado de relajación. Los ejercicios avanzan de un grupo de músculos a otros. El propósito de la tensión del músculo es mostrar conciencia de lo que se siente bajo tensión muscular. Al relajar el músculo nos concienciamos a su vez de qué se siente en ausencia de tensión, así como de sus beneficios.

Preparación

- Para empezar hay que tener claro que estamos aprendiendo una habilidad que, como tal, necesita un tiempo de aprendizaje y dedicación.
- Debe buscarse un lugar tranquilo y sin ruido que no nos distraiga.
- Hay que usar ropa cómoda y quitarse gafas, reloj y pulseras.

- Se pueden realizar los ejercicios en una cama, situando los brazos y las piernas apartados del cuerpo, o bien en un sillón cómodo.
- Se deben cerrar los ojos.
- Si durante la relajación aparecen pensamientos que inquieten, no debe hacerse nada, simplemente hay que dejarlos pasar.

Práctica

1. Ojos cerrados.
2. Realizar varias inspiraciones profundas, observando cómo se *llenan* de aire nuestros pulmones. A continuación expulsamos el aire lentamente.
3. Nos concentramos en un grupo muscular: por ejemplo, en la mano derecha. La cerramos con fuerza durante unos siete o diez segundos, y posteriormente volvemos a la posición inicial, disfrutando de la sensación de distensión. Posteriormente, realizaremos el ejercicio anterior con el antebrazo derecho, lo mismo con el lado izquierdo, y proseguiremos tensando y relajando los muslos, nalgas, piernas, pie, cuello, boca ojos...
4. Establecemos un orden para la relajación:
   a) Mano derecha o izquierda, luego la otra.
   b) Antebrazo y brazo derecho o izquierdo, y luego el otro.
   c) Espalda.
   d) Cuello.
   e) Cara y ojos.
   f) Tronco y abdomen.

g) Pie derecho.
h) Pantorrilla derecha.
i) Muslo derecho.
j) Repetimos el mismo ejercicio con pie, pantorrilla y muslo izquierdo.

5. Una vez hemos finalizado el recorrido por todo el grupo muscular del organismo, permanecemos un rato en la misma postura, disfrutando de la sensación de relax y observando cómo aparece una disminución de la tensión psíquica. Para ello, pensamos en una imagen agradable, por ejemplo que estamos en un bosque oyendo el ruido del agua del río, o en una playa paradisíaca. Después podemos utilizar esa misma imagen para relajarnos en cualquier lugar.
6. Realizamos tres respiraciones profundas.
7. Abrimos los ojos.

Otra técnica de relajación eficaz en las personas con insomnio es el *entrenamiento autógeno de Schultz,* que consiste en una serie de ejercicios para producir sensaciones físicas de calor y pesadez. En este caso la atención está concentrada en las sensaciones que se quieren producir.

Para la práctica de estas técnicas hemos de ser conscientes de que el mejor momento para realizar dicho entrenamiento es cuando el estado de salud psíquico y físico es favorable. De esta forma podremos afrontar los momentos de adversidad con mayor facilidad, disfrutando de la sensación de relax y bienestar.

Práctica

1. Cerramos los ojos y realizamos dos o tres inspiraciones.
2. Nos centramos en nuestra postura, buscando la máxima comodidad.
3. Tomamos conciencia del brazo derecho o izquierdo, y nos concentramos en la sensación de peso (podemos imaginarnos que estamos aguantando un montón de libros). Nos repetimos mentalmente esta sensación cinco veces, y después nos decimos internamente una vez: «estoy tranquilo». Practicamos el mismo ejercicio con el otro brazo.
4. Repetiremos el primer ejercicio e incorporamos la sensación de calor. Repetimos esta sensación cinco veces: «el brazo derecho está muy caliente», y después nos decimos intensamente una vez «estoy muy tranquilo». Y alternamos la sensación de peso en nuestro brazo y la sensación de calor indicadas en los puntos 3 y 4.
5. Continuamos y nos concentramos en nuestro corazón. Nos decimos: «el corazón late tranquilo, fuerte, siempre igual», «estoy tranquilo», y a partir de este punto alternamos los ejercicios indicados en los puntos 3, 4, y 5

   Un dominio adecuado de cada uno de los ejercicios facilitará la consecución de una relajación más profunda, mientras que si no se practican correctamente será difícil conseguir el estado deseado.

6. Para finalizar podemos imaginarnos que estamos en un lugar muy tranquilo y agradable según la imaginación de cada uno.

La realización de esta técnica de relajación nos va a proporcionar distensión muscular, por un lado, y relajación mental, por otro.

Puntos clave:

- Para abordar el tratamiento del insomnio es recomendable dar al sujeto información sobre el sueño, por qué tenemos insomnio y cuáles son sus causas.
- La relajación puede ser muy eficaz para aprender a recuperar la calma, tanto física como psicológica, en pacientes insomnes.
- Las técnicas de relajación están orientadas hacia el reposo, y son especialmente útiles en los trastornos del sueño por la facilidad con que inducen un reposo muscular y cognitivo intenso.
- Los ejercicios de relajación también se pueden practicar en distintos momentos del día con la finalidad de ayudarnos a superar estados de estrés y/o ansiedad.

10. Tratamiento farmacológico

Una vez hemos identificado la causa o causas que están provocando síntomas de insomnio, y si otros tratamientos no han dado resultados, se podrán prescribir sustancias inductoras del sueño durante un tiempo limitado, siempre y cuando el tratamiento esté supervisado por el médico. En ocasiones es necesario realizar un abordaje combinado de terapia de conducta y tratamiento con fármacos.

Los fármacos son empleados para tratar los síntomas del insomnio y las enfermedades físicas y psicológicas que lo originan.

Hipnóticos

Los hipnóticos son sustancias que ayudan a dormir, inducen y/o mantienen el sueño. En ocasiones se confunde el concepto de hipnótico con el de sedante. El sedante es una droga que sirve para controlar la actividad motora, y tranquiliza al individuo que la toma. La mayoría de los sedantes tienen, además, efecto hipnótico.

Según la época de aparición histórica y las características químicas, podemos enumerar tres generaciones de hipnóticos:

Barbitúricos. En la actualidad ya no se utilizan.

Benzodiacepinas

- Tienen propiedades ansiolíticas, relajantes musculares y anticonvulsionantes.
- Reducen la latencia del sueño y provocan un aumento del tiempo total de sueño. No obstante, alteran la arquitectura del sueño.
- Pueden provocar efectos como sedación diurna, deterioro cognitivo, insomnio de rebote y síndrome de retirada.
- Cuando las dosis son muy elevadas, y en tratamientos prolongados, pueden producir tolerancia (necesidad de aumentar la dosis para obtener igual efecto terapéutico) y dependencia (cuando se suprimen de forma brusca provocan un insomnio de rebote).

Ejemplos de principios activos:

- Triazolam
- Oxazolam
- Estazolam
- Diazepam

- Lorazepam
- Lormetazepan
- Clorazepato dipotásico
- Clordiazepóxido

Hipnóticos no benzodiacepínicos

- Tienen propiedades hipnóticas sin la acción ansiolítica, relajante muscular o anticonvulsionante.
- Respetan la arquitectura del sueño.

Ejemplos de principios activos:

- Zolpidem
- Zopiclona
- Zaleplon

Otros medicamentos para el insomnio

Antidepresivos y neurolépticos sedantes

Los antidepresivos son efectivos para mejorar la calidad del sueño a dosis más bajas que las usadas para las personas con depresión, y pueden ayudar a mejorar otros síntomas afectivos. Entre ellos encontramos: trazodone, trimepramina, mirtazapina, doxepina y nefazodone.

Entre los neurolépticos sedantes citaremos a levomepromazina y ciamemazina.

Antihistamínicos

Los más utilizados como hipnóticos (inductores del sueño) por sus efectos sedantes son: difenhidramina, clorfeniramina, prometazina, hidroxicina y doxilamina. Como efecto secundario ocasionan sedación durante el día, además de un deterioro psicomotor.

Melatonina

La melatonina es una hormona que produce una parte del cerebro llamada glándula pineal. Está indicada como hipnótico en las alteraciones del ritmo circadiano (como en los casos del síndrome de fase retrasada del sueño, del *jet lag* y de los trabajadores por turnos) y en ancianos con insuficiencia de la glándula pineal.

Esta hormona ayuda a regular los ciclos del sueño, pues informa al organismo de cuándo es hora de acostarse y cuándo de levantarse. La cantidad de melatonina producida por nuestro cuerpo disminuye con la edad, lo que puede ser una de las claves que explica por qué los jóvenes tienen menos problemas para dormir que la gente mayor.

Esta hormona se segrega únicamente en la oscuridad, alcanza su máximo pico durante la noche y disminuye por la mañana.

Cuando el hombre envejece, la glándula pineal se calcifica y produce menos melatonina. Los niveles de melatonina son abundantes en los niños, disminuyen con la pubertad y decaen regularmente, hasta más de 90%, hacia los 70 años de edad. Muchas revistas y periódicos han proclamado su efecto sobre el envejecimiento. No obstante, no existen estudios científicos que hayan demostrado que la melatonina puede desacelerar el proceso de envejecimiento o prolongar la vida.

Por tanto, la melatonina regulariza y controla nuestro reloj biológico y mejora la cantidad y calidad del sueño.

¿Cuáles son los beneficios de la melatonina?
La melatonina es un producto de síntesis exactamente idéntico a la hormona producida naturalmente por la glándula pineal y sus beneficios son:

- El sueño facilitado por la melatonina es natural, y de mejor calidad que el sueño inducido por somníferos. Quienes usan el suplemento de melatonina se despiertan más descansados y despiertos.
- Es una ayuda para los efectos causados por los viajes transoceánicos en avión, el trabajo nocturno y para las personas que tienen síndrome de fase retrasada del sueño.

Se necesita estudiar más a fondo los efectos secundarios de la melatonina, especialmente a largo plazo.

Triptófano
El triptófano es una ayuda para conciliar el sueño, ya que interviene en la regulación de sus ciclos. Para ob-

tener los efectos deseados se requieren grandes dosis y, por tanto, es de administración difícil.

Valeriana

La valeriana es un remedio a base de hierbas que se ha utilizado a menudo para combatir el insomnio. Se puede usar como infusión y en combinación con otras sustancias herbales, como pueden ser la tila u otras infusiones similares que se pueden ingerir sin ningún problema. Este producto, especialmente en su forma de infusión, puede ayudarnos a combatir el insomnio.

Hace siglos que los europeos han usado la valeriana como sedante y auxiliar del sueño. En la época de Grecia y la Roma Antigua se usó la valeriana con propósitos medicinales. Hipócrates, por ejemplo, escribió sobre sus aplicaciones terapéuticas, y Galeno la prescribió para el tratamiento del insomnio.

El extracto de valeriana procede de raíces secas y es usado actualmente para la relajación y para inducir el sueño. Numerosos estudios clínicos han demostrado que la valeriana, tomada diariamente entre catorce y treinta días, reduce el tiempo que tarda una persona en quedarse dormida y reporta una mejoría en la calidad de sueño y en el bienestar general. La valeriana es segura, pero puede deteriorar la habilidad para manejar maquinaria. Su uso continuado y a largo plazo puede causar dolores de cabeza, excitación e insomnio, por tanto, hay que consultar al profesional médico para no hacer un mal uso de este tratamiento.

Hipericum

Es el antidepresivo natural por excelencia. Las propiedades calmantes de esta planta la hacen útil también en el tratamiento del insomnio y la ansiedad.

Ayuda a mantener los niveles adecuados de serotonina (responsable de regular los estados de ánimo) a nivel cerebral. También aumenta las concentraciones de otras sustancias cerebrales, como dopamina, norepinefrina, melatonina y ácido gama aminobutírico, todas ellas esenciales para regular el estado de ánimo.

La comunidad científica reconoce a la hierba de San Juan como *hypericum perforatum*, y se sabe que es una especie originaria de Europa, norte de África y Asia Occidental, aunque ahora también crece en Estados Unidos y Canadá.

Se ha utilizado en la medicina tradicional desde la Edad Media, principalmente en forma oral, para reducir dolores de cabeza, insomnio y para tratar la ansiedad.

Al igual que otros compuestos naturales, hay que tomarla con precaución y consultar a los profesionales de la salud.

Puntos clave:

- El tratamiento farmacológico debe ser siempre prescrito por el médico, quien valorará la necesidad de administrarlo según el origen y la gravedad del trastorno.
- Los ansiolíticos e hipnóticos son armas terapéuticas eficaces si se administran de manera controlada, en la dosis justa y durante períodos cortos.
- Para superar el insomnio, además de tratar la causa o enfermedad que lo origina, es necesario adoptar una correcta terapia farmacológica y seguir las pautas de higiene de sueño.
- Es importante que las personas no se automediquen en ningún caso, ya que estas sustancias pueden empeorar su patología, generar resistencias o crear adicción.
- El insomnio es la alteración del sueño más frecuente y la más obsesionante. Por ello, valorar el descanso es un primer paso para vencer el insomnio.